Kogni
Verhaltenstherapie

Die beste Strategie, um Ängste und Depressionen für immer zu bewältigen

Friedrich Zimmermann

schriftliche Zustimmung und kann in keiner Weise als Zustimmung des Warenzeicheninhabers gewertet werden.

Inhaltsübersicht

Einführung

Die kognitive Verhaltenstherapie hat in den letzten Jahren in der Welt der Psychologie zunehmend an Bedeutung gewonnen. Immer mehr Therapeuten und Psychiater wenden diese Art der Gesprächstherapie an, da sie sich bei der Behandlung verbreiteter psychischer Störungen wie Angstzuständen und Depressionen als wirksam erwiesen hat. Man hört zwar oft von diesem Begriff, aber was genau ist das eigentlich? Die kognitive Verhaltenstherapie basiert auf der Theorie, dass die Gedanken (Kognition), die Gefühle und das Verhalten eines Menschen in ständiger Wechselwirkung zueinander stehen, so dass, wenn eine dieser drei Komponenten beeinträchtigt ist, auch der Rest beeinträchtigt wird. Die Kognition ist dafür verantwortlich, wie wir denken und was wir denken, die Emotionen basieren darauf, wie wir uns fühlen, und das Verhalten darauf, wie wir handeln. Diese drei Komponenten stützen die Theorie, dass eine bloße Änderung der Gedanken oder der Art und Weise, wie eine Person denkt, Auswirkungen auf unsere Gefühle hat, die letztlich unser Verhalten bestimmen. Einfach ausgedrückt bedeutet dies, dass Menschen, die negative oder unrealistische Gedanken haben, die ihnen Kummer bereiten, zu Verhaltensproblemen führen könnten. Wenn eine Person unter psychischen Problemen leidet, kann die Art und Weise, wie sie bestimmte Situationen wahrnimmt, verzerrt werden, was zu negativen Verhaltensweisen führen kann.

Die Geschichte der kognitiven Verhaltenstherapie

CBT ist eigentlich ein Oberbegriff für viele verschiedene Therapien, die gemeinsame Komponenten haben. Die frühesten Formen der kognitiven Verhaltenstherapie wurden Mitte der 90er Jahre von Albert Ellis und Aaron T. Beck entwickelt. Damals wurde sie als Rational Emotive Behavior Therapy (REBT) bezeichnet. REBT ist eine Form der kognitiven Therapie, die auf die Lösung emotionaler und verhaltensbezogener Probleme ausgerichtet ist. Das Hauptziel der REBT besteht darin, irrationale Überzeugungen durch rationale zu ersetzen. Die Rational Emotive Behavior Therapy ermutigt eine Person dazu, ihre persönlichen irrationalen Überzeugungen herauszufinden und sie dann dazu zu bringen, diese Überzeugungen zu hinterfragen, indem sie sie in der Realität testen.

Albert Ellis vertrat die Ansicht, dass jeder einzelne Mensch eine einzigartige Reihe von Annahmen über sich selbst und die Welt hat. Er schlug vor, dass wir diese Annahmen nutzen, um uns durch das Leben zu führen, und dass sie einen großen Einfluss auf unsere Reaktionen auf verschiedene Situationen haben, die wir erleben. Bei manchen Menschen sind diese Annahmen jedoch irrational, was dazu führt, dass sie in einer Weise agieren und reagieren, die unangemessen ist und negative Auswirkungen auf ihr Glück und ihren Erfolg hat. Dieser Begriff wird als "irrationale Grundannahmen" bezeichnet.

Ein Beispiel für irrationale Annahmen ist eine Person, die davon ausgeht, dass sie ein Versager ist, weil sie nicht von allen, die sie kennt, gemocht wird. Dies führt dazu, dass sie ständig auf der Suche nach Anerkennung sind und sich abgelehnt fühlen. Da alle Handlungen und Interaktionen dieser Person auf dieser Annahme beruhen, wird sie sich unzufrieden fühlen, wenn sie nicht genügend Komplimente erhält. Nach Albert Ellis sind dies weitere beliebte und häufige irrationale Annahmen:

- Die Vorstellung, dass man in allem, was man tut, kompetent sein sollte
- Die Vorstellung, dass es katastrophal ist, wenn die Dinge nicht so sind, wie man sie haben will
- Die Vorstellung, dass man sein eigenes Glück nicht kontrollieren kann
- Die Vorstellung, dass man von jemandem abhängig sein muss, der stärker ist als man selbst

- Die Vorstellung, dass Ihr gegenwärtiges Leben stark von Ihrer Vergangenheit beeinflusst wird
- Die Vorstellung, dass es eine Katastrophe ist, wenn man nicht die perfekte Lösung für menschliche Probleme findet

Aaron Beck hat ein ähnliches Therapiesystem wie Albert Ellis, wird aber häufiger bei Depressionen als bei Angstzuständen eingesetzt. Therapeuten verwenden dieses Therapiesystem in der Regel, um dem Klienten zu helfen, seine negativen Gedanken und logischen Fehler zu erkennen, die ihn zu seiner Depression führen. Sie nutzen dieses System auch, um die dysfunktionalen Gedanken einer Person in Frage zu stellen, zu versuchen, Situationen anders zu interpretieren und eine andere Denkperspektive auf ihr tägliches Leben anzuwenden.

Wenn eine Person eine Menge negativer automatischer Gedanken hat, ist es wahrscheinlich, dass sie depressiv wird. Diese Gedanken werden fortgesetzt, auch wenn es widersprüchliche Beweise gibt. Aaron Beck identifizierte Mitte der 90er Jahre drei Mechanismen, die seiner Meinung nach Depressionen verursachen:

- Die kognitive Triade (negatives automatisches Denken)
- Negative Selbstschemata

- Fehler in der Logik (ungenaue Informationsverarbeitung)

Aaron Beck ging davon aus, dass die kognitive Triade drei Arten von negativem Denken umfasst, die bei Menschen mit Depressionen auftauchen. Sie besteht aus negativen Gedanken über sich selbst, die Welt und die Zukunft. Diese Arten von Gedanken treten bei depressiven Menschen meist automatisch auf und sind recht spontan. Wenn diese drei Arten von Gedanken zu interagieren beginnen, beeinträchtigen sie die normalen kognitiven Funktionen unseres Gehirns und führen zu Wahrnehmungsstörungen, Gedächtnisstörungen und Schwierigkeiten beim Lösen von Problemen. Die Person wird wahrscheinlich von diesen negativen Gedanken besessen werden.

Aaron Beck hat in seiner Studie über kognitive Verzerrungen zahlreiche unlogische Denkprozesse festgestellt. Er kam zu dem Schluss, dass diese unlogischen Denkmuster selbstzerstörerisch sind und bei den Betroffenen große Ängste und/oder Depressionen hervorrufen. Hier sind ein paar seiner unlogischen Denkprozesse:

- Willkürliche Einmischung: Dieser Denkprozess basiert auf Schlussfolgerungen, die auf unzureichenden und/oder irrelevanten Beweisen beruhen. Zum Beispiel denken und sich wertlos fühlen, weil der Freizeitpark, den Sie besuchen wollten, wegen des Wetters geschlossen ist.

- Selektive Abstraktion: Dieser Denkprozess beruht darauf, dass man sich auf einen einzigen Aspekt eines Sachverhalts konzentriert und alle anderen Aspekte außer Acht lässt. Sie fühlen sich zum Beispiel dafür verantwortlich, dass Ihre Mannschaft ein Volleyballspiel verloren hat, obwohl Sie nur ein Teammitglied sind.
- Vergrößerung: Der Denkprozess basiert auf der Übertreibung der Bedeutung einer negativen Situation. Wenn Sie beispielsweise aus Versehen Ihr Auto zerkratzt haben, halten Sie sich für einen schlechten Fahrer.
- Verharmlosung: Dieser Denkprozess beruht darauf, dass die Bedeutung eines Ereignisses heruntergespielt wird. Zum Beispiel werden Sie von Ihrem Chef für Ihre hervorragende Arbeit gelobt, aber Sie sehen dies als eine Kleinigkeit an.
- Übergeneralisierung: Dieser Denkprozess basiert auf negativen Schlussfolgerungen aufgrund eines einzigen Ereignisses. Ein Beispiel: Normalerweise bekommen Sie in der Universität nur Einsen, aber Sie sind bei einer Prüfung durchgefallen und halten sich deshalb für dumm.

- Personalisierung: Dieser Denkprozess basiert darauf, dass man die negativen Gefühle anderer Menschen mit sich selbst in Verbindung bringt. Zum Beispiel sah Ihre Chefin sehr wütend aus, als sie heute das Büro betrat; also muss sie wütend auf Sie sein.

Aaron Beck und Albert Ellis haben viele Theorien und strukturierte Verhaltensweisen entwickelt, die zur heutigen Entwicklung der kognitiven Verhaltenstherapie geführt haben. Aufgrund ihrer Forschungen Mitte der 90er Jahre sind Studien zu dem Schluss gekommen, dass 80 % der Erwachsenen von der kognitiven Verhaltenstherapie profitieren. Dies ist ein großer Erfolg in der Welt der Therapie, da viele Menschen bei psychischen Störungen wie Angst und Depression die Gesprächstherapie der medizinischen Therapie vorziehen.

Moderne Anwendungen der kognitiven Verhaltenstherapie

In der heutigen Gesellschaft wird die kognitive Verhaltenstherapie zur Behandlung psychischer Störungen, vor allem von Angstzuständen und Depressionen, eingesetzt. Aufgrund ihrer langen Geschichte und Entwicklung ist die CBT eine praktische und zeitsparende Form der Psychotherapie. Die kognitive Verhaltenstherapie konzentriert sich auf Ihre aktuellen Probleme, die im täglichen Leben auftauchen. Sie wird eingesetzt, um Menschen dabei zu helfen, ihre Umgebung und die Ereignisse um sie herum zu verstehen. Die CBT ist sehr strukturiert, zeitsparend und problemorientiert. Diese Vorteile sind der Grund dafür, dass die CBT eine der beliebtesten Techniken zur Behandlung psychischer Störungen in unserem schnelllebigen modernen Leben ist.

Heutzutage hilft die CBT den Klienten, die Gedanken zu erkennen, zu hinterfragen und zu ändern, die mit den emotionalen und verhaltensbezogenen Reaktionen verbunden sind, die ihnen Schwierigkeiten bereiten. Durch die Anwendung der CBT zur Beobachtung und Aufzeichnung von Gedanken in unerwünschten Situationen lernen die Menschen, dass die Art und Weise, wie sie denken, zu ihren emotionalen Problemen beiträgt. Die moderne kognitive Verhaltenstherapie hilft bei der Verringerung emotionaler Probleme, indem sie den Menschen beibringt,:

- etwaige Verzerrungen in ihrem Denkprozess zu erkennen
- ihre eigenen Gedanken als Ideen und nicht als Fakten zu sehen
- einen Schritt von ihren eigenen Gedanken zurücktreten, um Situationen aus einer anderen Perspektive zu betrachten

Das neue CBT-Modell, das heute verwendet wird, basiert auf der Beziehung zwischen Gedanken und Verhaltensweisen. Beide können sich gegenseitig beeinflussen. Es gibt drei Ebenen und Arten von Gedanken:

- Bewusste Gedanken: Dies sind rationale Gedanken, die mit vollem Bewusstsein gemacht werden.
- Automatische Gedanken: Dies sind Gedanken, die sich sehr schnell bewegen; Sie sind sich ihrer Bewegung wahrscheinlich nicht vollständig bewusst. Das bedeutet, dass es schwierig ist, sie auf ihre Richtigkeit zu überprüfen. Eine Person, die unter psychischen Problemen leidet, kann Gedanken haben, die völlig unlogisch sind.
- Schemata: Dies sind die Grundüberzeugungen und persönlichen Werte, wenn es um die Verarbeitung von Informationen geht. Unsere Schemata sind durch unsere Kindheit und andere Lebenserfahrungen geprägt.

Die heutige CBT unterscheidet sich geringfügig von der früheren Form, bei der es sich hauptsächlich um REBT handelte. Die heutige CBT wird zur Behandlung einer Vielzahl von psychischen Störungen eingesetzt, während die REBT hauptsächlich zur Behandlung von Depressionen und

Angstzuständen verwendet wurde. Außerdem waren Depressionen und Angstzustände Mitte der 90er Jahre noch nicht so weit verbreitet wie heute. In den folgenden Kapiteln werden wir darüber sprechen, warum psychische Störungen wie Depressionen und Angstzustände in der heutigen Gesellschaft häufiger vorkommen.

Was Sie in diesem Buch erwartet: In diesem Buch werden wir die Theorien und Funktionen der kognitiven Verhaltenstherapie erforschen und wie sie zur Behandlung von Störungen wie Angst und Depression funktioniert. Zu Beginn des Buches erfahren wir mehr darüber, wie die kognitive Verhaltenstherapie funktioniert und wie sie im Vergleich zu anderen Therapieformen eingesetzt wird. Dann erfahren wir, was Angst ist, welche Symptome sie hat und welche Formen es gibt. Dann lernen wir etwas über Depressionen, die Wissenschaft dahinter, die verschiedenen Arten und ihre Symptome. An diesem Punkt des Buches sollten Sie ein gutes Verständnis dafür haben, wie Angst und Depression funktionieren und wie die CBT eine Rolle bei der effektiven Behandlung der Symptome spielen kann. In der Mitte des Buches werden wir uns mit den Vor- und Nachteilen der CBT als Behandlungsmethode befassen. Dieses Kapitel ist wichtig, damit Sie feststellen können, ob die CBT die richtige Behandlungsmethode für die von Ihnen gewünschte Störung ist. Danach werden wir uns in zwei Kapiteln damit befassen, wie die

CBT speziell zur Behandlung von Angst und Depression eingesetzt werden kann und wie andere Methoden ebenfalls zur Behandlung dieser Störungen eingesetzt werden können. Wir werden uns mit Achtsamkeit, Meditation, Änderungen des Lebensstils, der Vermeidung von Aufschieberitis und dem Üben von Dankbarkeit befassen. Obwohl diese Themen nicht unbedingt unter die CBT fallen, unterstützen sie doch die wichtigsten Theorien der CBT, so dass sich die Anwendung dieser Methoden für manche Menschen als wirksam erweisen kann. Im letzten Kapitel befassen wir uns mit der Wut und wie sie sich in anderen Emotionen manifestieren kann. Wir werden etwas über die Bewältigung von Wut erfahren und darüber, wie diese eine Rolle für die psychische Gesundheit eines Menschen spielt. Insgesamt soll dieses Buch Ihnen nicht nur beibringen, wie man CBT anwendet, sondern Sie auch über alle damit zusammenhängenden Themen aufklären, damit Sie verstehen, warum die CBT diese Strategie anwendet, die sie anwendet. Wenn man das versteht, ist es wahrscheinlicher, dass man bei der Sache bleibt und nicht aufgibt, wenn man nicht sofort Ergebnisse sieht. Lassen Sie uns ohne Umschweife in dieses Buch eintauchen.

Kapitel 1: Was ist kognitive Verhaltenstherapie?

Wie wir bereits zu Beginn dieses Buches erläutert haben, ist die kognitive Verhaltenstherapie eine Form der Gesprächstherapie, die zur Behandlung von Menschen mit psychischen Störungen eingesetzt wird. Die Grundlagen der CBT basieren auf drei Komponenten: Kognition (Gedanken), Emotion und Verhalten. Alle drei Komponenten stehen in Wechselwirkung zueinander, was zu der Theorie führt, dass unsere Gedanken unsere Gefühle und Emotionen bestimmen, die wiederum unser Verhalten bestimmen.

Wie funktioniert die kognitive Verhaltenstherapie?

Bei der kognitiven Verhaltenstherapie wird die Beziehung zwischen unseren Gedanken, Gefühlen und Verhaltensweisen betont. Wenn Sie beginnen, eine dieser Komponenten zu verändern, lösen Sie damit auch Veränderungen bei den anderen aus. Das Ziel der CBT ist es, Ihre Sorgen zu verringern und Ihre Lebensqualität insgesamt zu verbessern. Hier sind die 8 Grundprinzipien der kognitiven Verhaltenstherapie:

1. Die CBT wird Ihnen helfen, Ihre Probleme aus einer neuen Perspektive zu betrachten.

Wenn eine Person schon lange mit einem Problem lebt, hat sie oft eine eigene Art und Weise entwickelt, es zu verstehen und damit umzugehen. In der Regel wird dadurch das Problem nur aufrechterhalten oder verschlimmert. Die CBT hilft Ihnen, Ihr Problem aus einer neuen Perspektive zu betrachten, und das wird Ihnen helfen, andere Wege zu finden, Ihr Problem zu verstehen und eine neue Art des Umgangs damit zu lernen.

2. CBT wird Ihnen helfen, neue Fähigkeiten zu entwickeln, um Ihr Problem zu lösen.

Sie wissen wahrscheinlich, dass es eine Sache ist, ein Problem zu verstehen, und dass es eine ganz andere Sache ist, damit umzugehen. Um Ihr Problem zu verändern, müssen Sie neue Fähigkeiten entwickeln, die Ihnen dabei helfen, Ihre Gedanken, Verhaltensweisen und Emotionen zu ändern, die sich auf Ihre Angst und psychische Gesundheit auswirken. Die CBT wird Ihnen beispielsweise dabei helfen, neue Ideen über Ihr Problem zu entwickeln und diese in Ihrem täglichen Leben anzuwenden und zu testen. Dadurch werden Sie besser in der Lage sein, sich eine eigene Meinung über die Ursache dieser negativen Symptome zu bilden.

3. Die CBT beruht auf Teamwork und Zusammenarbeit zwischen Klient und Therapeut (oder Programm).

Bei der CBT müssen Sie sich aktiv in den gesamten Prozess einbringen, und Ihre Gedanken und Ideen sind von Beginn der Therapie an äußerst wertvoll. Sie sind der Experte, wenn es um Ihre Gedanken und Probleme geht. Der Therapeut ist der Experte, wenn es darum geht, die emotionalen Probleme zu erkennen. Wenn Sie als Team zusammenarbeiten, können Sie Ihre Probleme erkennen und Ihr Therapeut kann besser auf sie eingehen. Je weiter die Therapie fortschreitet, desto mehr übernimmt der Klient die Führung bei der Suche nach Techniken zur Bewältigung der Symptome.

4. Das Ziel der CBT ist es, dem Klienten zu helfen, sein eigener Therapeut zu werden.

Eine Therapie ist teuer; das wissen wir alle. Eines der Ziele der CBT ist es, dass Sie nicht zu sehr von Ihrem Therapeuten abhängig werden, denn es ist nicht möglich, eine Therapie für immer zu machen. Wenn die Therapie zu Ende geht und Sie nicht Ihr eigener Therapeut werden, besteht ein hohes Risiko für einen Rückfall. Wenn Sie jedoch in der Lage sind, Ihr eigener Therapeut zu werden, sind Sie in der Lage, die Hürden zu meistern, die das Leben an Sie stellt. Außerdem ist es erwiesen, dass das Vertrauen in die eigene Fähigkeit, Schwierigkeiten zu bewältigen, einer der besten Prädiktoren für die Beibehaltung der wertvollen Informationen ist, die Sie in der Therapie erhalten haben. Indem Sie während der Sitzungen eine aktive Rolle spielen, können Sie das nötige Selbstvertrauen gewinnen, um Ihre Probleme zu bewältigen, wenn die Sitzungen vorbei sind.

5. CBT ist prägnant und zeitlich begrenzt.

Als Faustregel gilt, dass CBT-Therapiesitzungen in der Regel zwischen 10 und 20 Sitzungen dauern. Statistisch gesehen besteht bei einer monatelangen Therapie ein höheres Risiko, dass der Klient von seinem Therapeuten abhängig wird. Sobald Sie eine neue Perspektive und ein neues Verständnis für Ihr Problem gewonnen haben und mit den richtigen Fähigkeiten ausgestattet sind, können Sie diese zur Lösung künftiger Probleme einsetzen. In der CBT ist es von entscheidender Bedeutung, dass Sie Ihre neuen Fähigkeiten in der realen Welt ausprobieren. Indem Sie Ihr eigenes Problem ohne die Sicherheit wiederkehrender Therapiesitzungen selbst in die Hand nehmen, können Sie Vertrauen in Ihre Fähigkeit aufbauen, Ihr eigener Therapeut zu werden.

6. CBT ist richtungsorientiert und strukturiert.

Die CBT stützt sich in der Regel auf eine grundlegende Strategie, die als "geführte Erholung" bezeichnet wird. Indem Sie mit Ihrem Therapeuten einige Experimente durchführen, können Sie mit neuen Ideen experimentieren, um zu sehen, ob sie Ihre Realität genau widerspiegeln. Mit anderen Worten: Ihr Therapeut ist Ihr Führer, während Sie in der CBT Entdeckungen machen. Der Therapeut wird Ihnen nicht sagen, ob Sie richtig oder falsch liegen, sondern er wird Ihnen helfen, Ideen und Experimente zu entwickeln, mit denen Sie diese Ideen testen können.

7. Die CBT basiert auf der Gegenwart, dem "Hier und Jetzt".

Obwohl wir wissen, dass unsere Kindheit und unsere Entwicklungsgeschichte eine große Rolle dabei spielen, wer wir heute sind, unterscheidet einer der Grundsätze der CBT zwischen dem, was das Problem verursacht hat, und dem, was das Problem gegenwärtig aufrechterhält. In vielen Fällen sind die Gründe, die ein Problem aufrechterhalten, andere als die, die es ursprünglich verursacht haben. Wenn Sie zum Beispiel beim Reiten vom Pferd fallen, haben Sie vielleicht Angst vor Pferden. Diese Angst bleibt bestehen, wenn Sie anfangen, alle Pferde zu meiden und sich weigern, wieder auf einem Pferd zu reiten. In diesem Beispiel wurde die Angst durch den Sturz ausgelöst, aber indem Sie Ihre Angst meiden, halten Sie sie weiter aufrecht. Leider können Sie die Tatsache, dass Sie vom Pferd gefallen sind, nicht ändern, aber Sie können Ihre Verhaltensweisen ändern, wenn es um das Vermeiden geht. Die CBT konzentriert sich in erster Linie auf die Faktoren, die das Problem aufrechterhalten, denn diese Faktoren lassen sich leicht ändern.

8. Arbeitsblattübungen sind wichtige Elemente der CBT-Therapie.

Leider reicht es nicht aus, über CBT zu lesen oder eine Therapiesitzung pro Woche zu besuchen, um unsere eingefahrenen Denk- und Verhaltensmuster zu ändern. Bei der CBT wird der Klient immer dazu angehalten, seine neuen Fähigkeiten im täglichen Leben anzuwenden. Obwohl die meisten Menschen CBT-Therapiesitzungen als sehr faszinierend empfinden, führt sie in der Realität zu keiner Veränderung, wenn man die erlernten Fähigkeiten nicht anwendet.

Diese acht Prinzipien werden Ihnen während Ihrer kognitiven Verhaltenstherapie als Leitfaden dienen. Wenn Sie diese acht Prinzipien lernen, verstehen und anwenden, werden Sie in der Lage sein, Ihre Zeit und Energie zu investieren, um Ihr eigener Therapeut zu werden und Ihre persönlichen Ziele zu erreichen.

Untersuchungen haben ergeben, dass Personen, die hoch motiviert sind, Übungen außerhalb der Sitzungen durchzuführen, in der Regel einen größeren Nutzen aus der Therapie ziehen als Personen, die dies nicht tun. Vergessen Sie nicht, dass auch andere äußere Faktoren einen Einfluss auf Ihren Erfolg haben, aber Ihre Motivation ist einer der wichtigsten Faktoren. Wenn Sie die CBT nach den oben genannten Grundsätzen durchführen, sollten Sie in der Lage sein, während der gesamten CBT hoch motiviert zu bleiben.

Wann wird die kognitive Verhaltenstherapie eingesetzt?

Nun, da wir gelernt haben, wie CBT funktioniert, wann wird CBT eingesetzt? Die wichtigste Antwort auf diese Frage ist, dass die CBT eingesetzt wird, wenn eine Person beschließt, eine Therapie zu machen, um ihre Probleme zu bewältigen. Oft handelt es sich bei diesen Problemen um Störungen wie Depressionen, Angstzustände oder schwerwiegendere Störungen wie Zwangsstörungen und PTBS.

Um ein wenig mehr in die Tiefe zu gehen, wird CBT am häufigsten bei Depressionen und generalisierten Angststörungen eingesetzt. Die CBT wird jedoch auch bei anderen Störungen eingesetzt und ist sehr wirksam, z. B. bei:

- Körperdysmorphe Störung
- Ess-Störungen
- Chronische Schmerzen im unteren Rückenbereich
- Persönlichkeitsstörungen
- Psychose
- Schizophrenie
- Störungen durch Substanzkonsum

Da sich die CBT auf die Beziehung zwischen Gedanken, Emotionen und Verhalten konzentriert, können Menschen, die unter psychischen Störungen leiden, die CBT als hilfreich empfinden. Die meisten modernen Therapeuten entscheiden sich für die CBT als die beste Methode zur Bewältigung der Probleme, mit denen der Klient konfrontiert ist, da sie zahlreiche Störungen abdeckt und der Klient sie erlernen und ohne die Hilfe des Therapeuten weiter anwenden kann.

Einfacher ausgedrückt: CBT kann einfach für eine allgemeine Therapie verwendet werden. Dies kann eine Situation sein, in der jemand an Therapiesitzungen teilnimmt, um mit seinen Gedanken und Gefühlen in Kontakt zu bleiben. Auch wenn diese Person nicht an einer bestimmten Störung leidet, ist die CBT ein hilfreiches Instrument für jemanden, der seine Gedanken ordnen möchte.

Wer wendet kognitive Verhaltenstherapie an?

Eine Vielzahl von Menschen nutzt die kognitive Verhaltenstherapie, sei es, um anderen zu helfen oder um eigene Probleme zu lösen. Die allgemeinste Antwort auf die Frage, wer CBT einsetzt, wäre ein Therapeut und jemand, der an einer psychischen Störung leidet. Die CBT wird jedoch auch von Fachleuten aus dem Bereich der Psychologie, der Alkoholsucht, des Drogenmissbrauchs, der Essstörungen, der Phobien und der Wutbewältigung eingesetzt. Die CBT ist ein flexibles Instrument, das von vielen Menschen zur Behandlung des jeweiligen Problems eingesetzt werden kann.

Wie ich bereits im vorherigen Unterkapitel erwähnt habe, kann die CBT auch dann eingesetzt werden, wenn Sie nicht mit einem ernsten Problem wie dem oben genannten konfrontiert sind. Viele Menschen, die früher eine Therapie gemacht haben, wenden CBT weiterhin an, um eine gesunde Einstellung zu bewahren. Die CBT wird auch für Ereignisse wie Interventionen eingesetzt. Am meisten profitieren jedoch diejenigen von der CBT, die bereit sind, Zeit und Energie darauf zu verwenden, ihre eigenen Gedanken und Gefühle zu analysieren. Da die Selbstanalyse in der Regel schwierig ist, geben viele Menschen auf, nachdem sie festgestellt haben, wie unangenehm sie sein kann. Die CBT eignet sich jedoch sehr gut für Menschen, die eine kurzfristige Behandlung suchen, die keine Medikamente erfordert. Sie eignet sich sehr gut für Menschen, die keine Medikamente einnehmen wollen, um Störungen wie Depressionen und Angstzustände zu behandeln.

Vergleich von CBT und anderen Therapieformen

Die kognitive Verhaltenstherapie und andere Arten von Verhaltenstherapien haben viele Gemeinsamkeiten, aber auch eine Menge signifikanter Unterschiede. Die typischen Verhaltenstherapien, die Sie vielleicht im Fernsehen oder in Filmen sehen, scheinen eine Menge Traumdeutung oder komplexe Diskussionen über die eigenen Kindheitserfahrungen zu beinhalten. Diese Art von Therapie ist im Vergleich zur CBT sehr veraltet. In der Tat wenden heute nicht mehr viele Therapeuten diese Art der Behandlung an. Die CBT unterscheidet sich von anderen Therapien dadurch, dass sie sich hauptsächlich darauf konzentriert, wie die Gedanken, Gefühle und Verhaltensweisen einer Person miteinander verbunden sind. Sowohl CBT als auch andere Verhaltenstherapien haben gemeinsame Ansätze, wie z. B.:

- Therapeut und Klient arbeiten als Team mit dem Verständnis, dass der Klient der Experte für seine eigenen Gedanken ist, während der Therapeut über das theoretische und technische Fachwissen verfügt.
- Die Behandlungen sind oft von kurzer Dauer (in der Regel zwischen 6 und 20 Sitzungen). Der Klient beteiligt sich aktiv an der Behandlung innerhalb und außerhalb der Sitzungen. Hausaufgaben und Arbeitsblätter sind oft obligatorisch.
- Der Therapeut will dem Klienten helfen, zu erkennen, dass er stark und in der Lage ist, positive Gedanken und Verhaltensweisen zu wählen.
- Die Behandlung zielt auf die Lösung aktueller Probleme ab und ist zielorientiert. In der Therapie geht es darum, die Ziele Schritt für Schritt zu erreichen.
- Der Klient und der Therapeut wählen gemeinsam ihre Therapieziele aus und verfolgen ihre Fortschritte während der Behandlung.

Denn die Grundlage der CBT ist die Theorie, dass Gedanken die Gefühle beeinflussen und dass die emotionale Reaktion einer Person auf ein Problem daher rührt, wie sie die Situation interpretiert hat. Hier ist ein Beispiel, das zum besseren Verständnis beiträgt: Stellen Sie sich vor, Sie hätten das Gefühl, dass Ihr Herz unregelmäßig schnell schlägt und Sie kurzatmig sind. Wenn diese Symptome auftreten, während Sie ruhig zu Hause sitzen, würden Sie wahrscheinlich annehmen, dass es sich um einen medizinischen Zustand wie einen Herzinfarkt handelt, der Angst und Sorge auslöst. Wenn diese Symptome jedoch aufträten, während Sie draußen laufen, würden Sie sie wahrscheinlich nicht mit einer Krankheit in Verbindung bringen, so dass sie nicht zu Angst und Sorge führen. Sehen Sie hier, dass unterschiedliche Interpretationen der gleichen Empfindungen (z. B. Herzrasen und Kurzatmigkeit) zu völlig unterschiedlichen Gefühlen führen können?

Die CBT geht davon aus, dass ein Großteil der Emotionen, die wir empfinden, vollständig auf das zurückzuführen ist, worüber wir nachdenken. Mit anderen Worten: Unsere Emotionen beruhen vollständig darauf, wie wir unsere Umgebung oder eine Situation wahrnehmen und interpretieren. Manchmal werden diese Ideen und Gedanken verzerrt oder voreingenommen. Zum Beispiel kann eine Person eine zweideutige Textnachricht als persönliche Ablehnung interpretieren, obwohl sie keine Beweise dafür hat. Andere Menschen können anfangen, unrealistische Erwartungen an sich selbst zu stellen, um von anderen akzeptiert zu werden. Diese Gedanken tragen zu unlogischen, voreingenommenen oder verzerrten Denkprozessen bei, die sich wiederum auf unsere Gefühle auswirken. In der CBT lernen die Klienten, den Unterschied zwischen einem tatsächlichen

Gedanken und einem Gefühl zu erkennen. Sie lernen, sich bewusst zu machen, auf welche Weise Gedanken ihre Emotionen beeinflussen können und wie wenig hilfreich das manchmal ist. Darüber hinaus werden sie in die Lage versetzt, kritisch zu beurteilen, ob ihre automatischen Gedanken richtig sind und Beweise haben oder ob sie einfach nur voreingenommen sind. Am Ende der Therapie sollten sie die Fähigkeit entwickelt haben, diese negativen Gedanken zu bemerken, sie zu unterbrechen und die Gedanken richtig zu korrigieren.

Lassen Sie uns nun darüber sprechen, wie sich andere Verhaltenstherapien unterscheiden. Die meisten von ihnen konzentrieren sich darauf, wie bestimmte Gedanken und Verhaltensweisen in der Umgebung einer Person zufällig "belohnt" werden. Dies trägt dazu bei, dass diese Gedanken und Verhaltensweisen zunehmen. Verhaltenstherapien können bei einer Vielzahl von psychologischen Symptomen in einem breiten Spektrum von Altersgruppen eingesetzt werden. Hier sind einige Beispiele, die dies näher erläutern:

Beispiel Nr. 1: Stellen Sie sich einen Teenager vor, der ständig um die Erlaubnis bittet, das Auto der Familie benutzen zu dürfen, um sich mit Freunden zu treffen. Nachdem die Eltern wiederholt darum gebeten und zahlreiche Ablehnungen erhalten haben, wird der Teenager wütend und ungehorsam gegenüber den Eltern. Schließlich kommen die Eltern zu dem Schluss, dass sie den Ärger mit ihrem Teenager nicht mehr ertragen wollen und erlauben ihm, das Auto auszuleihen. Durch die Erlaubnis hat der Teenager tatsächlich eine "Belohnung" für seinen Wutanfall erhalten. Verhaltenstherapeuten sagen, dass der Teenager durch die Erlaubnis gelernt hat, dass schlechtes Verhalten eine Strategie ist, die funktioniert, wenn er die Erlaubnis einholen will. Außerdem zielt die Verhaltenstherapie darauf ab, die Beziehungen zwischen Verhalten, Belohnungen und Lernen zu verstehen und negative Muster zu ändern. Folglich können die Eltern und Kinder in diesem Beispiel diese ungesunden Verhaltensweisen verlernen und stattdessen gutes Verhalten verstärken.

Beispiel Nr. 2: Stellen Sie sich vor, Sie hätten Angst, mit dem Auto zu fahren. Um Ihre Angst und Unruhe zu vermeiden, beginnen Sie vielleicht, alle Fahrzeuge zu meiden und stattdessen zu Fuß zu gehen oder mit dem Fahrrad zu fahren. Der zusätzliche Energie- und Zeitaufwand für Ihre Fortbewegung kann dazu führen, dass Sie ständig zu spät zu Veranstaltungen oder zur Arbeit kommen. Doch trotz dieser Folgen wurde Ihre Angst, das Autofahren zu vermeiden, mit der Abwesenheit von Angst und Beklemmung belohnt. Die verhaltenstherapeutische Behandlung würde darin bestehen, dass Sie unter Aufsicht im Auto mitfahren und bei Erfolg belohnt werden. Diese Belohnungen werden nach jedem Erfolg gegeben und sollen Ihnen helfen, diese negativen Assoziationen zu verlernen. Obwohl sich Verhaltenstherapien je nach der zu behandelnden Störung unterscheiden, besteht ein gemeinsamer Nenner darin, dass Verhaltenstherapeuten ihren Klienten helfen, neue oder gefürchtete Verhaltensweisen auszuprobieren, und ihnen verbieten, sich ihr Verhalten von negativen Belohnungen diktieren zu lassen.

Kapitel 2: Was sind Ängste?

Was genau ist also Angst? Wenn Menschen den Begriff "Angst" verwenden, beziehen sie sich häufig auf die allgemeine Angst. Angst ist ein grundlegendes Gefühl und eine Erfahrung, die buchstäblich alle Arten von Tieren machen. Obwohl Angst kein angenehmes Gefühl ist, ist sie nicht gefährlich. In bestimmten Situationen ist die Angst sogar hilfreich für uns. Manche Menschen wünschen sich, die Angst vollständig loszuwerden, aber dieses Ziel ist weder möglich noch realistisch! Bei der kognitiven Verhaltenstherapie besteht der Ansatz darin, Ihnen zu helfen, die erforderlichen Fähigkeiten zu entwickeln, um Ihre Angst zu bewältigen und zu verstehen, anstatt sie ganz loszuwerden (was ebenfalls nicht möglich ist).

Wir alle müssen bedenken, dass Angst eine normale Emotion ist und dass sie nicht gefährlich ist. Die Angstsymptome haben sogar eine Funktion. Angst ist eigentlich eine natürliche Reaktion auf eine wahrgenommene Bedrohung und hilft uns Menschen, darauf zu reagieren. Übermäßige Angst kann jedoch auch ein Problem darstellen.

Da Angst eine normale Reaktion auf eine Bedrohung ist, wird, wenn eine Person wahrnimmt, dass sie sich in einer bedrohlichen Situation befindet, ihr Kampf- oder Fluchtinstinkt ausgelöst, dessen einziger Zweck es ist, sich durch Kampf oder Flucht vor der Gefahr zu schützen. Wenn sich jemand bedroht fühlt, sendet das Gehirn Nachrichten an das autonome Nervensystem (ein Teil der Nerven). Wenn dieses Nervensystem reagiert, schüttet das Gehirn Adrenalin und Noradrenalin aus, was die Angstreaktion auslöst und uns automatisch auf eine Gefahr vorbereitet. Dieses Nervensystem wird schließlich gestoppt, wenn diese Chemikalien von unserem Körper abgebaut werden, um den Körper zu beruhigen.

Diese Tatsache ist äußerst wichtig, denn Menschen, die unter Angststörungen leiden, sind davon überzeugt, dass ihre Ängste ewig anhalten werden. Biologisch gesehen kann dies jedoch nicht passieren, da die Angst zeitlich begrenzt ist. Auch wenn es sich so anfühlt, als würde die Angst ewig andauern, hat sie eine begrenzte Lebensdauer. Nach einer gewissen Zeit stellt der Körper fest, dass er genug vom Kampf- oder Fluchtinstinkt hat und kehrt in den neutralen Zustand zurück. Die Angst kann nicht ewig andauern und den Körper schädigen. Obwohl dieser ganze Zyklus sehr unangenehm ist, ist er völlig harmlos und natürlich. In der Tat ist dieses Verhalten für uns ein Instinkt, denn in der Wildnis ist es für unseren Körper notwendig, diese Reaktion zu zeigen, weil wir wissen, dass die Gefahr zurückkehren kann.

Insgesamt wird durch die Flucht- oder Fluchtreaktion der gesamte Stoffwechsel des Körpers aktiviert. Das führt dazu, dass man sich hinterher heiß, gerötet und müde fühlt, weil der gesamte Prozess viel Energie verbraucht. Nach einer starken Angsterfahrung fühlen sich die meisten Menschen erschöpft, müde und völlig ausgelaugt.

Was ist eine Angststörung?

Nun, da Sie wissen, was Angst ist und dass sie eine natürliche Emotion ist, die wir zum Schutz empfinden - was ist eine Angststörung? Eine Angststörung ist ein medizinischer Zustand, bei dem der Betroffene Symptome von extremer Angst oder Panik verspürt. Mit anderen Worten, eine Angststörung liegt vor, wenn eine Person schwere Angst oder Panik empfindet und nicht in der Lage ist, ihre Symptome zu kontrollieren.

Im nächsten Unterkapitel werden wir uns mit den verschiedenen Arten von Angststörungen befassen, aber in diesem Unterkapitel werden wir über die häufigsten Angststörungen sprechen, mit denen die Menschen heutzutage konfrontiert sind. Die häufigste Angststörung, mit der die Menschen heute konfrontiert sind, ist die Generalisierte Angststörung.

Generalisierte Angststörung (GAD)

Generalisierte Angst ist die Neigung zu übermäßiger Panik, Sorge oder Angst vor zahlreichen Ereignissen oder Situationen. In der Regel hat die Person große Schwierigkeiten, ihre Gefühle der Sorge zu kontrollieren, und geht mit anderen Symptomen wie Müdigkeit, Unruhe, Konzentrationsschwierigkeiten, Schlafstörungen, Reizbarkeit und Muskelverspannungen einher. Das Gefühl der Sorge wird eigentlich als ein Prozess definiert, der sich auf die Ungewissheit des Ausgangs zukünftiger Ereignisse konzentriert. Es handelt sich dabei nicht um eine Emotion an sich, sondern um eine Emotion, die zu Angstgefühlen führt. Das wichtigste und offensichtlichste Symptom der generalisierten Angststörung sind die "Was-wäre-wenn"-Gedanken, die immer wieder auftauchen. Diese "Was wäre wenn"-Gedanken gehen Hand in Hand mit der Sorge, die sich oft unkontrollierbar anfühlt. Darüber hinaus ist der Prozess der Sorge oft mit körperlichen Symptomen verbunden, die mit der Flucht- oder Kampfreaktion zusammenhängen. Es kommt häufig vor, dass der Betroffene die Zukunft in einem negativen Licht sieht und Gedanken hat, die von Angstgefühlen begleitet werden.

Menschen mit GAD fühlen sich oft die meiste Zeit über besorgt und ängstlich und nicht nur in bestimmten Situationen, die stressig sind. Die Sorgen, die sie haben, sind konstant, intensiv und stören ihren Tagesablauf. Ihre Sorgen umfassen in der Regel mehrere Aspekte und nicht nur einen. Es kann sich um Arbeit, Gesundheit, Finanzen, Familie oder einfach um Dinge des täglichen Lebens handeln. Triviale Aufgaben wie Hausarbeit oder das Zuspätkommen zu einer Besprechung können zu extremer Angst führen, die dann in ein Gefühl des Untergangs mündet.

Bei den meisten Menschen wird eine GAD diagnostiziert, wenn sie einige der Symptome seit mindestens 6 Monaten aufweisen:

- Sie fühlen sich bei zahlreichen Aktivitäten oder Ereignissen extrem besorgt
- Sie kämpfen damit, sich nicht zu sorgen
- Sie stellen fest, dass Ihre Angst es Ihnen sehr schwer macht, Ihren Alltag zu bewältigen (z. B. lernen, arbeiten, sich mit Freunden treffen)
- Sie fühlen sich ständig unruhig oder gereizt
- Sie sind immer/schnell müde
- Sie haben Probleme mit der Konzentration
- Sie sind leicht reizbar
- Sie haben Verspannungen in Ihren Muskeln (z. B. Nacken oder Kieferschmerzen)
- Sie haben Probleme beim Schlafen (z. B. Schwierigkeiten, durchzuschlafen oder einzuschlafen)

Heutzutage leiden etwa 14 % der Bevölkerung an GAD. Diese Erkrankung tritt eher bei Frauen als bei Männern auf und kann zu jedem Zeitpunkt im Leben eines Menschen auftreten. Sie ist in allen Altersgruppen verbreitet, auch bei Kleinkindern und Senioren. Am häufigsten wird die Diagnose jedoch im Alter von etwa 30 Jahren gestellt.

Kinder, die an GAD leiden, zeigen normalerweise Verhaltensweisen wie:

- Sie haben kein Selbstvertrauen
- Überangepasst sein
- Ständig auf der Suche nach Anerkennung und Bestätigung durch andere
- Ein Perfektionist sein
- Das Bedürfnis, Aufgaben bis zur Perfektion nachzubearbeiten
- Mit der Formulierung "Ja, aber was wäre wenn?"

Wodurch genau wird GAD also verursacht? Das ist nicht ganz einfach, denn es gibt eine Kombination aus verschiedenen Faktoren. Zunächst werden biologische Faktoren in Betracht gezogen. Bestimmte Veränderungen der Gehirnfunktionen wurden mit GAD in Verbindung gebracht. Dann wird auch die Familiengeschichte berücksichtigt. Menschen, die an GAD leiden, haben oft eine Vorgeschichte mit psychischen Problemen in ihrer Familie. Stressige Lebensereignisse erhöhen ebenfalls das Risiko, an GAD zu erkranken. Der Verlust einer Beziehung, ein Umzug oder körperlicher oder emotionaler Missbrauch sind Beispiele für Ereignisse, die eine Rolle bei der Entstehung von GAD spielen können. Schließlich können auch psychologische Faktoren ein höheres Risiko darstellen. Menschen mit sensiblen, nervösen Persönlichkeitsmerkmalen oder der Unfähigkeit, Frustrationen zu ertragen, haben ein höheres Risiko, an GAD zu erkranken.

Die häufigste Behandlung für GAD ist die kognitive Verhaltenstherapie. Wenn psychologische Behandlungen unwirksam sind, werden Medikamente eingesetzt. In den späteren Kapiteln werden wir näher darauf eingehen, warum und wie die kognitive Verhaltenstherapie eine äußerst wirksame Behandlung für GAD-Patienten ist.

Was sind die verschiedenen Arten von Angststörungen?

Nachdem wir nun die häufigste Angststörung, die generalisierte Angststörung (GAD), und die größte Komponente, die zu ihr führt (Sorgen), kennengelernt haben, werden wir uns nun mit anderen Arten von Angststörungen befassen, an denen

Menschen leiden. Die anderen Arten von Angststörungen, über die wir lernen werden, sind:

- Soziale Ängste
- Spezifische Phobien
- Panikstörung
- Zwangsneurose (OCD)
- Posttraumatische Belastungsstörung (PTSD)

Oft zeigen Menschen, die unter Angstzuständen leiden, Symptome von mehr als einer Art von Angststörung. Es ist wichtig, sich frühzeitig über diese zu informieren, damit Sie die Symptome erkennen und sich frühzeitig behandeln lassen können. Die Symptome gehen in der Regel nicht von selbst wieder weg, und wenn sie unbehandelt bleiben, können sie beginnen, das tägliche Leben zu übernehmen.

Soziale Ängste

Obwohl es ganz normal ist, in gesellschaftlichen Situationen ein gewisses Maß an Nervosität zu verspüren, ist es nicht normal, ein überwältigendes Maß an Angst zu empfinden. Situationen wie die Teilnahme an offiziellen Veranstaltungen, das Sprechen in der Öffentlichkeit und Präsentationen sind wahrscheinlich

Ereignisse, bei denen Sie eine gewisse Nervosität und Angst verspüren. Bei Menschen, die unter sozialen Ängsten (auch bekannt als Sozialphobie) leiden, können das Sprechen oder Auftreten vor anderen Menschen und allgemeine soziale Situationen jedoch zu extremen Ängsten führen. Dies ist in der Regel auf die Angst zurückzuführen, vor anderen Menschen kritisiert, beurteilt, gedemütigt oder ausgelacht zu werden. Oft haben sie Angst vor trivialen und alltäglichen Dingen. So empfinden Menschen, die unter sozialer Angst leiden, beispielsweise das Essen in einem Restaurant in Gegenwart anderer Menschen als äußerst beängstigend.

Soziale Angst tritt in der Regel im Vorfeld von Leistungsereignissen auf (z. B. wenn man eine Rede halten muss oder wenn man arbeitet, während man beobachtet wird) und in Situationen, in denen es um soziale Interaktion geht (z. B. beim Mittagessen mit Kollegen oder beim normalen Small Talk). Soziale Ängste treten sowohl während des eigentlichen Ereignisses als auch im Vorfeld auf. Darüber hinaus kann diese Art von Phobie auch sehr spezifisch sein, d. h. der Betroffene hat Angst vor einer bestimmten Situation. Sie können zum Beispiel Angst davor haben, sich bei Arbeitssitzungen durchsetzen zu müssen.

Zu den Symptomen der Sozialphobie gehören psychische und körperliche Symptome. Menschen mit sozialer Phobie empfinden es als sehr belastend, wenn sie körperliche Symptome verspüren. Zu diesen körperlichen Symptomen gehören:

- Übermäßiges Schwitzen
- Übelkeit/Durchfall
- Zitternd
- Stottern, Stottern oder Erröten beim Sprechen

Wenn diese körperlichen Symptome auftreten, verstärkt sich in der Regel die Angst, da die Person befürchtet, dass andere Menschen diese Anzeichen bemerken. Allerdings sind diese Anzeichen in der Regel für andere Menschen nicht erkennbar. Diejenigen, die unter dieser Krankheit leiden, sagen, dass sie sich auch übermäßig Sorgen machen, dass sie etwas Falsches sagen oder tun werden, was zu einem schrecklichen Ergebnis führen wird. Oft versuchen Menschen mit sozialen Ängsten, Situationen zu vermeiden, in denen sie das Gefühl haben, dass sie sich möglicherweise peinlich oder erniedrigend verhalten könnten. Wenn sie bestimmte Situationen nicht vermeiden können, versuchen sie, sie zu ertragen, aber sie werden sehr verzweifelt und ängstlich und versuchen, die Situation so schnell wie möglich zu verlassen. Dies kann sich negativ auf ihre

Beziehungen auswirken. Außerdem kann es sich auf ihr Berufsleben und ihre Fähigkeit, ihren Alltag zu bewältigen, auswirken.

Eine typische Diagnose für soziale Ängste basiert auf den oben genannten Symptomen und darauf, wie sehr sie den Alltag des Betroffenen belasten und beeinträchtigen. In der Regel wird eine Diagnose gestellt, wenn die Symptome 6 Monate lang anhalten.

Zu den psychologischen Symptomen der sozialen Phobie gehören:

- Extreme Nervosität vor einem Auftritt vor anderen Menschen
- Extreme Nervosität vor Begegnungen mit unbekannten Menschen
- Extreme Nervosität oder Verlegenheit, wenn sie beobachtet werden (z. B. beim Essen oder Trinken vor anderen, beim Telefonieren vor den Augen anderer)

- Aus Angst vor sozialer Nervosität nicht zu bestimmten Veranstaltungen oder Interaktionen gehen
- Schwierigkeiten bei der Bewältigung des Alltags (z. B. beim Lernen, Treffen mit Freunden und bei der Arbeit)

Aus Untersuchungen geht hervor, dass 11 % der Bevölkerung im Laufe ihres Lebens unter sozialen Ängsten leiden. Dabei zeigte sich, dass Frauen häufiger von dieser Störung betroffen sind als Männer. Häufig beginnt diese Phobie in der Kindheit oder Jugend.

Was genau sind die Ursachen für soziale Ängste? Es gibt zahlreiche Ursachen, aber die häufigsten sind Temperament, Familiengeschichte und erlerntes Verhalten. Was das Temperament betrifft, so sind schüchterne Kinder oder Jugendliche stärker gefährdet als andere. Insbesondere bei Kindern, die schüchtern und ängstlich sind, besteht die Gefahr, dass sie im Erwachsenenalter soziale Ängste entwickeln. Eine genetische Veranlagung in der Familie ist ebenfalls eine mögliche Ursache. Die Hauptursache ist jedoch in der Regel ein erlerntes Verhalten. Diejenigen, die unter sozialer Angst leiden, entwickeln diesen Zustand oft, weil sie schlecht behandelt, in der Öffentlichkeit in Verlegenheit gebracht oder gedemütigt wurden.

Bei der Behandlung von sozialer Phobie stehen psychologische Behandlungen an erster Stelle, und in schwereren Fällen können auch Medikamente wirksam sein. Da die soziale Phobie eine Art von Angststörung ist, entscheiden sich viele Fachleute für die kognitive Verhaltenstherapie als Behandlungsmethode. Im weiteren Verlauf dieses Buches werden wir darüber sprechen, wie die kognitive Verhaltenstherapie bei der Behandlung von Angststörungen hilft.

Spezifische Phobien

Phobien sind wahrscheinlich eine der bekanntesten Störungen, von denen wir in der heutigen Gesellschaft hören. Wahrscheinlich sehen Sie im Fernsehen und in Filmen Menschen, die Phobien vor Clowns, Spinnen oder Höhenangst haben. Angst oder Besorgnis vor bestimmten Situationen sind normal, aber das bedeutet nicht, dass man eine Phobie hat. Angst zu haben, wenn man einer Spinne begegnet oder sich an einem hohen Ort aufhält, ist ganz normal. Angst ist eigentlich eine rationale und natürliche Reaktion, wenn wir uns in Situationen befinden, in denen wir uns bedroht fühlen.

Manche Menschen reagieren jedoch sehr heftig auf bestimmte Aktivitäten, Situationen oder Objekte, weil sie sich die Gefahr einbilden und übertreiben. Die Gefühle von Terror, Panik oder Angst, die jemand aufgrund einer Bedrohung empfindet, sind völlig unverhältnismäßig. In vielen Fällen reicht schon der Gedanke an den phobischen Reiz oder der Anblick im Fernsehen aus, um bei diesen Personen eine Reaktion auszulösen. Solche extremen Reaktionen können auf eine spezifische Phobie hinweisen.

Obwohl sich die Menschen oft nicht selbst bewusst sind, woher ihre Angst kommt, sind sich Menschen, die unter Phobien leiden, in der Regel bewusst, dass ihre Ängste irrational und extrem sind. Sie haben jedoch das Gefühl, dass ihre Reaktionen automatisch erfolgen und nicht kontrolliert werden können. Manchmal führen bestimmte Phobien zu Panikattacken. Während dieser Panikattacken werden die Betroffenen von unerwünschten körperlichen Empfindungen überwältigt. Zu diesen Empfindungen gehören Übelkeit, Herzrasen, Erstickungsgefühle, Brustschmerzen, Schwindel, Ohnmacht und Hitzewallungen/Kältegefühl.

Die Symptome der spezifischen Phobie sind wie folgt:

- Sie haben eine ständige, extreme und irrationale Angst vor einer Situation, einer Aktivität oder einem Objekt. Zum Beispiel Höhenangst, Angst vor Clowns oder Spinnen.
- Sie vermeiden ständig Situationen, in denen die Möglichkeit besteht, dass Sie sich Ihrer Phobie stellen müssen. Zum Beispiel gehen Sie nicht nach draußen, weil Sie einer Spinne begegnen könnten. Wenn es sich um eine Situation handelt, die nur schwer zu vermeiden ist, können Sie anfangen, ein hohes Maß an Angst zu empfinden.
- Sie stellen fest, dass Sie bestimmte Situationen, in denen Ihre Phobie auftreten könnte, meiden und sich davor fürchten, so dass es Ihnen schwer fällt, Ihren Alltag zu bewältigen. Zum Beispiel beginnt sie, Ihre Arbeit, die Schule oder Ihr soziales Leben zu beeinträchtigen.
- Sie stellen fest, dass Sie immer wieder ausweichen und ängstlich sind, und Sie haben seit über 6 Monaten damit zu kämpfen.

Spezifische Phobien werden in der Regel in die folgenden Kategorien eingeteilt:

- Tiere: Ihre Angst bezieht sich auf Tiere oder Insekten (z. B. Angst vor Katzen oder Spinnen)

- Natürliche Umgebung: Ihre Angst hat mit der natürlichen Umgebung zu tun (z. B. Höhenangst oder Angst vor Blitzen)
- Verletzung/Injektion: Ihre Angst steht im Zusammenhang mit invasiven medizinischen Eingriffen (z. B. Angst vor Nadeln oder dem Anblick von Blut)
- Situationen: Ihre Angst bezieht sich auf ganz bestimmte Situationen (z. B. das Fahren auf einer Rolltreppe oder im dichten Verkehr)
- Sonstiges: Ihre Angst bezieht sich auf verschiedene Phobien (z. B. Angst vor Erbrechen oder Angst vor dem Ersticken)

Die ersten Anzeichen spezifischer Phobiesymptome treten in der Regel in der Kindheit oder im frühen Jugendalter auf. Angst ist bei Kindern ganz normal, und sie erleben in ihrer Kindheit viele gemeinsame Ängste. Häufige Ängste sind: Angst vor Fremden, vor imaginären Monstern, vor der Dunkelheit und vor Tieren. Es gehört jedoch zum Erwachsenwerden, dass man lernt, mit diesen Ängsten richtig umzugehen. Einige Kinder können dennoch spezifische Phobien bis hin zu Panikattacken entwickeln. Diese Kinder haben ein höheres Risiko, spezifische Phobien zu entwickeln, als andere Arten von Angststörungen. In den meisten Fällen sind sich die Kinder der Tatsache nicht bewusst, dass ihre Ängste extrem und irrational sind.

Wodurch genau werden spezifische Phobien außer durch Angst verursacht? Genau wie bei sozialen Ängsten spielen das Temperament einer Person und die Vorgeschichte psychischer Erkrankungen eine große Rolle bei der Entstehung spezifischer Phobien. Phobien sind sehr gut behandelbar, und eine psychologische Behandlung wie CBT wird in der Regel als erstes eingesetzt, um die Störung zu bekämpfen. In Fällen, in denen die spezifische Phobie schwerwiegender ist, werden Medikamente eingesetzt, um die Störung zu lindern.

Panik-Störungen

Panikstörungen oder besser bekannt als "Panikattacken" ist der Begriff, der verwendet wird, um zu beschreiben, wenn diese Attacken wiederkehrend und behindernd sind. Normalerweise sind Panikstörungen definiert durch:

- Unerwartete und wiederkehrende Panikattacken.
- Lange Zeit (mehr als 1 Monat) nach einer Panikattacke zu befürchten, dass Sie eine weitere haben werden.
- Die Sorge um die Auswirkungen oder Folgen nach der Panikattacke. Viele Menschen denken, dass eine Panikattacke ein Symptom für ein nicht diagnostiziertes medizinisches Problem ist. So kann es vorkommen, dass Menschen aufgrund dieser Sorgen wiederholt

medizinische Tests durchführen lassen, und obwohl sich nichts zeigt, haben sie immer noch Angst vor einem schlechten Gesundheitszustand.

- Erhebliche Verhaltensänderungen, die mit den Panikattacken zusammenhängen. Zum Beispiel vermeiden Sie Sport, weil sich Ihre Herzfrequenz erhöht.

Normalerweise werden Sie während einer Panikattacke von den oben beschriebenen körperlichen Gefühlen überwältigt. Der Höhepunkt der Panikattacke ist in der Regel nach 10 Minuten erreicht, dauert bis zu 30 Minuten und lässt Sie danach erschöpft zurück. Panikattacken können bis zu mehrmals am Tag oder einige Male im Jahr auftreten. Sie können auch im Schlaf auftreten, so dass man während der Attacke aufwacht. Viele Menschen haben mindestens einmal in ihrem Leben eine Panikattacke erlebt. Bis zu 40 % der Menschen haben irgendwann in ihrem Leben eine Panikattacke erlebt. Dies bedeutet jedoch nicht, dass Sie an einer Panikstörung leiden. Hier sind die häufigsten Symptome und Anzeichen für eine Panikattacke:

- Ein Gefühl von überwältigender Angst oder Panik
- Der Gedanke, dass Sie ersticken, sterben oder "verrückt" werden
- Die Herzfrequenz steigt

- Schwierigkeiten beim Atmen (z. B. Hyperventilieren)
- Das Gefühl, zu ersticken oder dass die Lunge nicht funktioniert
- Übermäßiges Schwitzen
- Benommenheit, Schwindel oder Ohnmacht

In manchen Fällen kann eine Person, die eine Panikattacke durchmacht, auch eine "Dissoziation" oder "Derealisation" erleben. Dabei handelt es sich um das Gefühl, dass die Welt und die Umgebung um einen herum nicht real sind. Dieses Symptom steht im Zusammenhang mit den intensiven physiologischen Veränderungen, die während einer Panikattacke im Körper stattfinden.

Panikstörungen sind nicht so häufig wie andere Störungen wie GAD oder soziale Ängste. Schockierenderweise haben 5 % der Bevölkerung im Laufe ihres Lebens eine Panikstörung erlebt. Laut Statistik sind Frauen anfälliger für Panikstörungen als Männer. Panikstörungen treten typischerweise im Alter von Anfang bis Mitte 20 oder in der Mitte des Lebens auf. Allerdings können Panikstörungen in jedem Alter auftreten; bei Kindern oder älteren Menschen sind sie äußerst selten.

Was genau ist also die Ursache für eine Panikstörung? Obwohl es keine spezifische Ursache gibt, sind in der Regel mehrere

Faktoren beteiligt. Dazu gehören Menschen mit einer familiären Vorgeschichte von Angststörungen oder Depressionen. Einige Studien legen sogar nahe, dass die Genetik eine große Rolle spielt. Auch biologische Faktoren werden mit Panikstörungen in Verbindung gebracht, z. B. Asthma, Reizdarmsyndrom und Schilddrüsenüberfunktion. Negative Lebenserfahrungen spielen bei Panikstörungen ebenfalls eine große Rolle. Schwerwiegende belastende Lebenserfahrungen wie sexueller Missbrauch oder ein Trauerfall wurden mit Panikstörungen in Verbindung gebracht. Darüber hinaus besteht bei Personen, die unter extremem Dauerstress stehen, ein hohes Risiko, an Panikstörungen zu erkranken.

Wenn es um die Behandlung von Panikstörungen geht, wird sie eingesetzt, um die Anzahl und Intensität der Panikattacken der Betroffenen zu verringern. Diejenigen, die unter schweren Panikstörungen leiden, erhalten Medikamente, um sie zu beruhigen, aber in der Regel sind psychologische Behandlungen wie CBT die erste Methode, die eingesetzt wird.

Zwangsneurose (OCD)

Wie wir in unserem Unterkapitel über Sorgen erörtert haben, können beunruhigende Gedanken zu Ängsten führen, die dann unser Verhalten beeinflussen. Das kann manchmal sogar hilfreich sein. Wenn Sie zum Beispiel daran denken, dass Sie Ihren Herd angelassen haben könnten, werden Sie nachsehen, ob er noch an ist, um sicherzugehen, dass alles in Ordnung ist. Wenn dieser Gedanke jedoch immer wiederkehrt und zwanghaft wird, beginnt er, ungesunde Verhaltensmuster zu beeinflussen, die den Alltag erschweren. Ein Beispiel für eine Zwangsstörung ist das wiederholte Überprüfen des Herdes, um sicherzustellen, dass er ausgeschaltet ist, auch wenn Sie dies bereits beim ersten Mal bestätigt haben.

Menschen, die an einer Zwangsstörung leiden, schämen sich oft sehr für ihr Bedürfnis, ihre zwanghaften Handlungen auszuführen. Diese Schamgefühle führen zu Geheimhaltung, was wiederum zu einer verzögerten Diagnose und Behandlung führt. Oft kann dies zu einer sozialen Behinderung führen, wenn Kinder nicht zur Schule gehen oder Erwachsene ihre Wohnung nicht verlassen können.

Was sind also die Anzeichen und Symptome einer Zwangsstörung? Zwangsstörungen treten in der Regel in verschiedenen Formen auf:

- Sauberkeit und Ordnung: Beispiele hierfür sind die zwanghafte Reinigung des Haushalts oder das Händewaschen, um die Angst vor Verunreinigungen oder

Keimen zu mindern, die Besessenheit von Symmetrie oder Ordnung und das übermäßige Bedürfnis, Gegenstände in einem bestimmten Muster oder an einem bestimmten Ort zu platzieren oder Aufgaben auszuführen.

- Zählen und Horten: Beispiele sind das wiederholte Zählen von Objekten wie Ziegelsteinen an der Wand, das Zählen der Kleidung oder das Horten von nutzlosen Gegenständen wie alten Zeitungen oder Müll.
- Sicherheit: Dies ist eine zwanghafte Angst, dass geliebten Menschen oder sich selbst etwas zustößt, und kann dazu führen, dass man impulsiv Dinge überprüft, um sicherzustellen, dass sie ausgeschaltet und Eingänge verschlossen sind.
- Sexuelle Probleme: Irrationale Angst oder Abscheu vor sexuellen Aktivitäten.
- Religiöse und moralische Fragen: Das Bedürfnis oder der Zwang, so oft am Tag zu beten, dass es sich auf ihre Beziehungen und ihre Arbeit auswirkt.

Wenn es um die Symptome einer Zwangsstörung geht, sollten Sie sich vorsehen:

- Wiederkehrende Sorgen oder Gedanken, die mehr als nur normale Lebensprobleme betreffen (z. B. Gedanken, dass

Ihre Angehörigen oder Sie selbst zu Schaden kommen werden)

- Die gleiche Tätigkeit in einer sehr geordneten und wiederholten Weise jedes Mal ausführen. Beispiele hierfür sind:
    - Ständiges Duschen, Zähneputzen, Waschen der Kleidung oder der Hände
    - Ständiges Umräumen, Aufräumen oder Reinigen auf eine bestimmte Weise zu Hause oder am Arbeitsplatz
    - Ständige Kontrolle, dass alle Eingänge verschlossen und die elektronischen Geräte ausgeschaltet sind
- Gefühl der Erleichterung nach der Erledigung dieser Aufgaben, aber bald darauf das Bedürfnis, sie zu wiederholen
- Sich bewusst sein, dass diese Gefühle, Verhaltensweisen und Tendenzen unvernünftig sind, man aber nichts dafür kann
- Sie stellen fest, dass diese Verhaltensweisen und Gedanken Ihren Tagesablauf beeinträchtigen und mehr als eine Stunde pro Tag in Anspruch nehmen

Zwangsstörungen sind nicht so häufig wie die anderen von uns behandelten Störungen. Nur etwa 3 % der Bevölkerung haben im Laufe ihres Lebens eine Zwangsstörung erlebt. Zwangsstörungen können in jeder Lebensphase auftreten, und sogar Kinder im Alter von sechs Jahren können Symptome zeigen. Allerdings entwickeln sich die Symptome erst in der Pubertät vollständig.

Die Forschung geht davon aus, dass sich die Zwangsstörung aus einer Mischung von Umweltfaktoren und genetischen Faktoren entwickelt hat. Mehrere andere Faktoren können das Risiko der Entwicklung einer Zwangsstörung erhöhen, darunter soziale Faktoren, psychologische Faktoren und die Familiengeschichte. Biologische Faktoren wie neurologische Probleme und unregelmäßige Serotoninspiegel wurden mit Zwangsstörungen in Verbindung gebracht. Derzeit wird aktiv erforscht, wie strukturelle, chemische und funktionelle Veränderungen im Gehirn zu Zwangsstörungen führen können. Darüber hinaus können erlernte Verhaltensweisen und Umweltfaktoren die Entstehung einer Zwangsstörung verursachen. Dies kann durch direkte Konditionierung oder durch Beobachtung des Verhaltens anderer geschehen. Da Kinder sehr beeinflussbar sind, haben sie ein höheres Risiko, in ihrer Jugend eine Zwangsstörung zu entwickeln, wenn sie zwanghafte Verhaltensweisen bei ihren Eltern beobachten.

Zwangsstörungen werden in der Regel zunächst durch psychologische Behandlungen wie CBT behandelt, aber da viele Fälle schwerer sind, werden auch Medikamente eingesetzt. In bestimmten Fällen wird eine Kombination aus Medikamenten und psychologischen Behandlungen wie Therapie gleichzeitig eingesetzt, um die Wirksamkeit zu erhöhen.

Posttraumatische Belastungsstörung (PTSD)

Menschen, die eine traumatische Situation oder ein Ereignis erlebt haben, das ihre Sicherheit, ihr Leben oder das Leben anderer bedroht hat, können eine Reihe von unerwünschten Reaktionen entwickeln, die als PTBS bezeichnet werden. Solche traumatischen Situationen können von einem Autounfall über einen Krieg bis hin zu Naturkatastrophen wie einem Erdbeben alles sein. Als Folge dieser traumatischen Ereignisse empfindet die betroffene Person intensive Gefühle des Entsetzens, der Angst oder der Hilflosigkeit.

Personen, die an einer PTBS leiden, haben oft Gefühle intensiver Angst oder Panik, die denen, die sie während der traumatischen Situation empfunden haben, sehr ähnlich sind. Es gibt vier Haupttypen von Schwierigkeiten innerhalb der PTBS:

- Wiedererleben der traumatischen Situation/des Ereignisses: Die Person durchlebt die traumatische Situation oder das Ereignis in Form von Erinnerungen immer wieder, oft in Form von Bildern und Albträumen. Dies kann auch zu extremen körperlichen und emotionalen Reaktionen wie Panik, Herzklopfen oder Schweißausbrüchen führen.
- Extreme Wachsamkeit: Die Person leidet unter Konzentrationsproblemen, Reizbarkeit und Schlaflosigkeit. Sie sind leicht zu erschrecken und zu erschrecken und halten immer Ausschau nach Anzeichen von Gefahr.
- Vermeiden von Erinnerungen an die Situation/das Ereignis: Die Person vermeidet absichtlich Orte, Aktivitäten, Menschen, Gefühle oder Gedanken, die mit dem traumatischen Ereignis in Verbindung stehen, weil sie belastende Erinnerungen hervorrufen.
- Emotionales Taubheitsgefühl: Der Betroffene hat das Interesse an alltäglichen Aktivitäten verloren, fühlt sich von Familie und Freunden isoliert oder gefühlsmäßig abgestumpft.

Häufig leiden Menschen, die an einer PTBS leiden, auch an anderen Arten von Angststörungen. Diese anderen Störungen können als Reaktion auf das traumatische Ereignis entstanden sein oder sich nach der PTBS selbst entwickelt haben. Zu den häufigen zusätzlichen Störungen, mit denen diese Personen konfrontiert werden können, gehören Depressionen, GAD und Drogen- oder Alkoholmissbrauch.

Wenn jemand ein traumatisches Ereignis erlebt hat, bei dem er verletzt, missbraucht, gefoltert oder getötet wurde, kann er die folgenden Symptome einer PTBS aufweisen:

- Flashbacks von Erinnerungen oder Träumen an das Ereignis
- Wenn Sie an das Ereignis erinnert werden, geraten Sie körperlich und psychisch in Bedrängnis.
- Sie haben Schwierigkeiten, sich an wichtige Teile des Ereignisses zu erinnern
- Sie haben eine negative Einstellung zu sich selbst oder zu anderen Menschen
- Sie geben sich selbst oder anderen Menschen ständig die Schuld an diesem Ereignis
- Sie empfinden ständig Gefühle wie Wut, Schuld oder Scham
- Sie haben kein Interesse mehr an den Dingen, die Ihnen früher Spaß gemacht haben
- Sie haben das Gefühl, dass Sie sich von anderen Menschen abkapseln

- Sie haben Schwierigkeiten, positive Gefühle wie Begeisterung oder Liebe zu empfinden
- Sie haben Schlafprobleme (z. B. Schlaflosigkeit oder Albträume)
- Sie sind leicht verärgert oder gereizt
- Sie ertappen sich dabei, wie Sie sich rücksichtslos und selbstzerstörerisch verhalten
- Sie haben Schwierigkeiten, sich zu konzentrieren
- Sie sind immer aufmerksam oder wachsam
- Sie lassen sich leicht erschrecken

Wenn jemand über einen Monat lang mehr als vier der oben genannten Symptome verspürt, leidet er wahrscheinlich an einer PTBS. Eine PTBS kann jeder nach einem traumatischen Ereignis entwickeln. Ein höheres Risiko besteht jedoch bei Ereignissen, bei denen es zu einer vorsätzlichen Schädigung kam, wie z. B. bei körperlichen oder sexuellen Übergriffen. Neben dem Ereignis selbst gibt es weitere Faktoren, die die Entwicklung einer PTBS begünstigen, wie etwa eine Vorgeschichte mit psychischen Problemen, ein anhaltend stressiges Leben oder mangelnde soziale Unterstützung.

Etwa 12 % der Bevölkerung haben in ihrem Leben eine PTBS erlebt. In der westlichen Welt sind schwere Unfälle die Hauptursache für eine PTBS. Wenn Sie gerade ein traumatisches Ereignis erlebt haben und sich sehr verzweifelt fühlen, sollten Sie zunächst mit Ihrem Hausarzt sprechen, um eine Diagnose zu erhalten. Je früher eine Behandlung eingeleitet wird, desto wirksamer kann sie Ihnen helfen.

Wenn es um die Behandlung von PTBS geht, erholen sich viele Menschen aus eigener Kraft oder mit Unterstützung von Freunden und Familie. Aufgrund dieser Statistik beginnt die medizinische Behandlung in der Regel erst frühestens zwei Wochen nach dem traumatischen Ereignis. Obwohl eine formelle Behandlung in der Regel nicht sofort angeboten wird, ist es wichtig, dass Sie in den ersten Tagen nach dem Ereignis Hilfe und Unterstützung in Anspruch nehmen. Die Unterstützung durch Familie und Freunde ist für die meisten Menschen, die ein Trauma erleben, von entscheidender Bedeutung. Es ist hilfreich, andere belastende Lebensereignisse zu minimieren, damit sich der Betroffene mehr auf seine Genesung konzentrieren kann. Die Behandlung von PTBS beginnt in der Regel mit einer psychologischen Behandlung, z. B. mit Gesprächstherapien wie CBT. In einigen schweren Fällen werden Medikamente verschrieben, die jedoch bei PTBS normalerweise nicht empfohlen werden.

Wie sind alle Angststörungen miteinander verbunden?

Wie Sie soeben erfahren haben, kann eine Angststörung in vielen Fällen zu einem höheren Risiko für die Entwicklung anderer Angststörungen führen. Nehmen wir die Zwangsstörung als Beispiel. Eine Person, die an einer Zwangsstörung leidet, empfindet oft eine große Scham und Geheimhaltung, wenn es um ihre zwanghaften Tendenzen geht. Oft wollen sie ihre Tendenzen nicht vor anderen Menschen zur Schau stellen. Dies führt dann zu einer Angst vor dem Umgang mit anderen Menschen. Die Angst vor dem Umgang mit anderen Menschen ist ebenfalls ein Anzeichen für eine soziale Störung. Wenn eine Angststörung über längere Zeit unbehandelt bleibt, ist es wahrscheinlich, dass sich diese Symptome zu anderen auswachsen.

Alle Angststörungen haben eines gemeinsam: Sorgen. Da die Sorge die größte Komponente der Angst ist und tatsächlich für die Entstehung der Emotion Angst verantwortlich ist, wird jemand, der nicht in der Lage ist, seine Sorgen zu kontrollieren, wahrscheinlich ängstlich werden und ängstliche Verhaltensweisen zeigen. Die Sorgen, die zur Entwicklung von GAD führen, sind dieselben, die auch zur Entwicklung von Panikstörungen führen können. Wenn jemand mit einer überwältigenden Menge an Sorgen zu kämpfen hat, spielen die Umweltfaktoren eine Rolle bei der Bestimmung der Art der Störung, die sich daraus ergibt. Nehmen wir als Beispiel zwei Personen, Bob und John. Bob und John machen sich beide in gleichem Maße Sorgen. Bob wuchs in einem Umfeld auf, in dem seine Eltern ein übermäßiges Reinigungsverhalten an den Tag legten. John wuchs in einem Umfeld auf, in dem er schüchtern war und nie gelernt hat, seine Schüchternheit zu überwinden. Unter der Annahme, dass die Sorgen von Bob und John gleich groß sind, wird Bob wahrscheinlich eine Zwangsstörung entwickeln, weil er dem Putzverhalten seiner Eltern ausgesetzt war. Bei John hingegen ist es wahrscheinlich, dass er aufgrund seiner Kindheit und der fehlenden Hilfe bei der Überwindung seiner Schüchternheit eine soziale Angststörung entwickelt.

Der gemeinsame Faktor bei Angststörungen ist die Sorge, die sich dann als Angst manifestiert. Umweltfaktoren beeinflussen, wie sich diese Ängste entwickeln, was sich wiederum auf das Verhalten der Betroffenen auswirkt. Wie bereits erwähnt, können Menschen, die an einer Angststörung leiden, eine weitere entwickeln, wenn die erste nicht innerhalb eines angemessenen Zeitraums behandelt wird.

Wie der moderne Lebensstil zu Angstzuständen beiträgt

Eine häufige Frage, die in der modernen Gesellschaft gestellt wird, lautet: "Gibt es eine Angst-Epidemie? Es scheint, als ob überall, wo wir hingehen, und jeder, den wir kennen, mit einer Art von Angststörung kämpft. In den Medien wird ständig über Depressionen und Angstzustände gesprochen, und wahrscheinlich nimmt ein großer Teil der Menschen, die wir kennen, Medikamente ein, um ihre Angststörung(en) zu bekämpfen. Sind wir von den gleichen Formen der Angst betroffen wie unsere Vorfahren? Die Antwort ist, dass sich die Art und Weise, wie sich Angst in den Menschen manifestiert, im Laufe der Zeit nicht wirklich verändert hat, und dass wir tatsächlich immer noch von denselben Formen der Angst betroffen sind, von denen unsere Vorfahren betroffen waren. Was sich jedoch bei der Angst verändert hat, sind die Auslöser, denen wir ausgesetzt sind. Die traditionellen Ursachen für Ängste, mit denen Menschen konfrontiert sind, sind auch heute noch weit verbreitet. Zum Beispiel erleben wir immer noch Ängste aufgrund von schwierigen Beziehungen, schlechter Gesundheit, Armut, Benachteiligung und Arbeitslosigkeit. Einige dieser traditionellen Ursachen von Angst nehmen in der heutigen Zeit zu. Dazu gehören Einsamkeit, unerwünschte Beziehungsfaktoren wie Scheidung, Gewalt und Missbrauch,

Vernachlässigung in der Kindheit, zunehmender Arbeitsstress und Arbeitszeiten sowie ein überwältigendes Gefühl, keine Kontrolle über unser Leben zu haben. Das Gefühl, keine Kontrolle über das Leben zu haben, ist besonders bei der Jugend unserer Gesellschaft weit verbreitet, die aufgrund der zunehmenden systematischen Bildungstests schon früh in ihrem Leben mit dem Scheitern konfrontiert wird. Glücklicherweise sind einige der traditionellsten Ursachen von Angst, wie Armut und schlechte Gesundheit, rückläufig, aber das schafft Raum für neue Ängste, wie den Stress moderner Arbeitsplätze und Einkommensungleichheit.

Darüber hinaus haben die modernen Technologien und Medien für die heutigen Generationen eine völlig neue Art von Angstquellen geschaffen. Ja, wir sprechen hier von den sozialen Medien. Die Notwendigkeit, rund um die Uhr mit dem Internet verbunden zu sein, die Notwendigkeit, verschiedene Aktivitäten zu jeder Zeit multitaskingfähig zu machen, und die Notwendigkeit, mit Nachrichtenmeldungen und Weltuntergangsszenarien Schritt zu halten. In naher Zukunft wird fast jedes einzelne Gerät in unseren Haushalten über eine Internetverbindung verfügen, um Ihnen den Zugang zu sozialen Medien zu ermöglichen und Sie online zu halten. Dies wird die Angst vor Datenhacking, Identitätsdiebstahl, Trolling, Phishing und sogar Grooming verstärken. Selbst unsere einfachen

Computer bringen tägliche Ängste mit sich: vergessene Passwörter, Festplattenabstürze und tägliche digitale Transaktionen. Alle Transaktionen fühlen sich sehr weit weg an, wenn sie über die Technologie abgewickelt werden. Oftmals möchte man einfach nur mit einem echten Menschen sprechen. Wussten Sie, dass die meisten Kinder unter 20 Jahren noch nie ohne soziale Medien gelebt haben? Die aktuelle Forschung hat die Nutzung sozialer Medien mit sozialer Angst in Verbindung gebracht. Die Forschung geht davon aus, dass soziale Ängste und Einsamkeit Gefühle der Unverbundenheit auslösen können, wenn wir ständig das reiche und erfolgreiche Leben anderer sehen. Eine weitere Folge der Nutzung sozialer Medien ist, dass die Jugendlichen ihren sozialen Erfolg und Status anhand von Kennzahlen wie der Anzahl der Follower oder Freunde, die sie in ihren sozialen Medien haben, verfolgen. Diese Maßstäbe unterscheiden sich von der traditionellen Methode, bei der man zählte, wie viele echte Freunde man hatte.

Zu den zahlreichen neuen und modernen Ängsten kommt ein zunehmender Wandel in der sozialen Kultur in Bezug auf die Angst hinzu. Dieser Wandel ist sehr widersprüchlich in Bezug auf die Botschaften, die er der Gesellschaft vermittelt. Ständig wird uns gesagt, dass Angst ein angemessenes Gefühl ist, um auf den Stress der heutigen Zeit zu reagieren. Angst wird fast als Statussymbol verwendet, das zeigt, wie erfolgreich und beschäftigt man ist. Allerdings wird uns auch gesagt, dass zu starke Ängste eine Behandlung erfordern. In den letzten dreißig Jahren sind die Diagnosen für die verschiedenen Kategorien von Angstzuständen explodiert. Die pharmazeutische Industrie war noch nie so sehr darauf bedacht, Ängste zu medikalisieren, um uns ein pharmazeutisches Mittel dagegen verkaufen zu können. Dies hat im Laufe der Jahre zu zahlreichen sozialen Kampagnen geführt, um das Bewusstsein für psychische Störungen (z. B. Depressionen und Angstzustände) zu schärfen, sie zu entstigmatisieren, zu diagnostizieren und medizinisch behandeln zu lassen.

Auch wenn unsere Angst-Epidemie bedrohlich klingt, ist das nicht ganz der Fall. Untersuchungen zufolge leiden 20 % der Menschen unter extrem starken Ängsten, aber es gibt keine Beweise dafür, dass dieses Verhältnis zunimmt. Wenn die Quote bei 20 % bleibt, würde aufgrund des Bevölkerungswachstums auch die Zahl der Menschen, die unter Angstzuständen leiden, zunehmen. Da immer mehr Menschen mit Angststörungen konfrontiert sind, werden auch immer mehr Menschen eine Behandlung in Anspruch nehmen, da wir das Bewusstsein für die psychische Gesundheit weiter schärfen wollen. Auf der anderen Seite leiden 40 % der Menschen unter geringen Angstzuständen und sind nur dann motiviert, sich behandeln zu lassen, wenn sie ein sehr belastendes Ereignis oder einen sehr belastenden Lebensabschnitt durchleben.

Glücklicherweise werden ständig neue psychologische Behandlungen wie die kognitive Verhaltenstherapie entwickelt, um Menschen zu behandeln, die unter Angstzuständen leiden. Die kognitive Verhaltenstherapie ist bereits in zahlreichen Ländern eingeführt worden und hat erfolgreiche Programme hervorgebracht. Doch selbst mit den neuesten Behandlungsmethoden sind wir noch weit davon entfernt, 100 % der Menschen bei psychischen Störungen zu helfen. Störungen wie GAD und OCD können ein Leben lang andauern und schwächend sein. In einigen Fällen sind GAD und OCD sehr resistent, selbst wenn sie mit Medikamenten und verschiedenen Psychotherapien behandelt werden. Die einzige Möglichkeit, mehr Menschen, die unter Angststörungen leiden, zu helfen, besteht darin, die Forschung zu finanzieren, um die Therapien zu verfeinern und zu entwickeln.

Sie fragen sich wahrscheinlich immer noch, ob es in der heutigen Zeit wirklich eine Epidemie der Angst gibt. Die Antwort lautet: Ja, es gibt eine Epidemie, aber das gilt auch für alle unsere früheren Generationen. Der Unterschied besteht darin, dass wir durch die Forschung ein größeres Bewusstsein dafür entwickelt haben, und dass heute mehr darüber gesprochen wird als früher. Ein weiterer Unterschied besteht darin, dass wir alte Ängste, die überholt sind, durch eine ganze Reihe neuer Ängste ersetzt haben, die sich ständig weiterentwickeln. Wir müssen uns der Herausforderung stellen und weiterhin versuchen, die modernen Ursachen der Angst und das damit verbundene Leid zu verstehen, um die wirtschaftlichen Kosten für die Gesellschaft in den Griff zu bekommen. Wir müssen weiterhin neuere und wirksamere Therapieprogramme entwickeln, die auf die Bekämpfung unserer modernen Angststörungen zugeschnitten sind.

Wie wird eine Angststörung diagnostiziert?

Die Diagnose von Angstzuständen ist alles andere als einfach. Im Gegensatz zu körperlichen Krankheiten wird sie nicht durch einen Keim oder eine Bakterie verursacht, die in einem Bluttest nachgewiesen werden kann. Angst kann sich in zahlreichen Formen äußern und auch ein Symptom anderer bestehender Erkrankungen sein. Um Angstzustände richtig zu diagnostizieren, müssen Sie eine körperliche Untersuchung durchführen lassen. So kann Ihr Arzt feststellen, ob andere Gesundheitsprobleme die Ursache für Ihre Angstsymptome sind oder ob Ihre Angst andere Symptome überdeckt. In der Regel ist eine vollständige persönliche Anamnese erforderlich, um eine vollständige Diagnose zu stellen.

Als Faustregel gilt, dass Sie gegenüber dem Arzt, der Ihre Diagnose stellt, zu 100 % ehrlich sein müssen. Es gibt viele Faktoren, die zu Angstzuständen beitragen oder von ihnen beeinflusst werden können. Dazu gehören:

- Hormone
- Spezifische Krankheiten
- Kaffee- und/oder Alkoholkonsum
- Medikamente

Bestimmte Erkrankungen können auch Symptome verursachen, die wie Angstzustände aussehen. Zu den körperlichen Angstsymptomen gehören:

- Kurzatmigkeit
- Herzrasen
- Schwitzen
- Schütteln
- Schüttelfrost oder Hitzewallungen
- Übelkeit
- Schmerzen in der Brust
- Erbrechen
- Diarrhöe

- Häufiges Wasserlassen
- Trockener Mund

Es ist sehr wahrscheinlich, dass Ihr Arzt eine Reihe von körperlichen Untersuchungen bei Ihnen durchführen wird, um mögliche Erkrankungen auszuschließen, die die Symptome von Angstzuständen nachahmen. Medizinische Bedingungen, die ähnliche Symptome wie Angstzustände aufweisen, sind:

- Asthma
- Herzinfarkt
- Entzug im Zusammenhang mit Drogenmissbrauch
- Nebenwirkungen von Medikamenten gegen Diabetes oder Bluthochdruck
- Entzug von Medikamenten, die zur Behandlung von Schlafstörungen oder Angstzuständen eingesetzt werden
- Hyperthyreose
- Menopause
- Angina pectoris

Nach dem Ausschluss medizinischer Erkrankungen kann Ihr Arzt vorschlagen, dass Sie Fragebögen zur Selbsteinschätzung ausfüllen, bevor Sie weitere Tests durchführen. Dies kann Ihnen helfen zu erkennen, ob Sie eine Angststörung haben oder ob Sie auf ein belastendes Ereignis oder eine Situation reagieren.

Ergibt die Selbsteinschätzung die Möglichkeit einer Angststörung, kann Ihr Arzt Ihnen eine klinische Bewertung oder ein strukturiertes Gespräch empfehlen.

Kapitel 3: Was ist eine Depression?

Angstzustände und Depressionen sind die häufigsten Störungen, mit denen Menschen in der heutigen Zeit konfrontiert sind. Doch was genau ist eine Depression? Die Wörterbuch-Definition von Depression lautet: "Gefühle von schwerer Niedergeschlagenheit und Niedergeschlagenheit". Dabei ist zu beachten, dass Depression nicht dasselbe ist wie Gefühle von Traurigkeit oder Trauer. Der Tod eines geliebten Menschen oder das Ende einer Beziehung sind beides sehr schwierige Erfahrungen, die ein Mensch erleben und ertragen muss. In diesen schweren Zeiten ist es völlig normal, dass Gefühle der Traurigkeit und des Kummers als Reaktion auf diese Situationen auftreten. Menschen, die ein Verlustereignis erleben, bezeichnen sich selbst oft als "depressiv".

Traurig zu sein ist jedoch nicht dasselbe wie eine depressive Störung. Der Trauerprozess eines Menschen ist individuell verschieden, hat aber viele der gleichen Gefühle wie eine depressive Störung. Sowohl Depressionen als auch Trauergefühle beinhalten Gefühle der Traurigkeit und des Rückzugs von den üblichen Aktivitäten einer Person. Hier sind ein paar wichtige Gründe, warum sie sich unterscheiden:

- Wenn eine Person Gefühle der Trauer empfindet, kommen ihre schmerzhaften Gefühle oft in Wellen. Sie sind in der Regel mit positiven Erinnerungen an die verstorbene Person vermischt. Wenn eine Person intensive Trauer empfindet, sind ihr Interesse und ihre Stimmung etwa zwei Wochen lang vermindert.
- Wenn ein Mensch trauert, ändert sich sein Selbstwertgefühl in der Regel nicht sehr. Wenn eine Person an einer Depression leidet, hat sie ständig das Gefühl, sich selbst zu verachten und wertlos zu sein.
- Für die meisten Menschen kann der Tod eines geliebten Menschen eine schwere Depression auslösen. Für andere kann es der Verlust des Arbeitsplatzes oder das Opfer eines körperlichen Angriffs sein. Wenn Depression und Trauer nebeneinander bestehen, ist die Trauer in der Regel schwerer und dauert länger an als Trauer ohne Depression. Es gibt einige Überschneidungen zwischen Depression und Trauer, aber trotzdem sind sie unterschiedlich. Es ist wichtig, einer Person zu helfen, zwischen Trauer und Depression zu unterscheiden, damit sie Hilfe, Unterstützung oder Behandlung erhält.

Die Wissenschaft hinter der Depression

Eines der wichtigsten Dinge für jemanden, der seine Depression behandelt, ist es, ein sehr gründliches Verständnis dafür zu bekommen. Andernfalls kann es sein, dass sie ihre Depression auf andere ungesunde Faktoren wie ihr körperliches Erscheinungsbild, ihre Persönlichkeit oder ihr soziales Leben bzw. dessen Fehlen schieben. Es gibt viele Theorien über die Ursachen von Depressionen, aber umfangreiche Untersuchungen haben ergeben, dass dieser Zustand meist auf komplexe individuelle Faktoren zurückzuführen ist. Die am weitesten akzeptierte Theorie ist eine gestörte Gehirnchemie.

Wer an einer Depression leidet, kann seine Krankheit manchmal auf einen bestimmten Umstand oder ein bestimmtes Ereignis zurückführen, z. B. auf ein traumatisches Ereignis, das ihm widerfahren ist. Es ist aber auch nicht ungewöhnlich, dass Menschen sich fragen, warum sie deprimiert sind, weil sie das Gefühl haben, keinen Grund dafür zu haben. In beiden Fällen kann es sehr hilfreich sein, etwas über die Wissenschaft und die Theorien zu erfahren, die hinter der Depression stehen, um die eigene Version der Depression zu verstehen.

Forscher auf diesem Gebiet haben die Theorie aufgestellt, dass Depressionen bei manchen Menschen auf einen Mangel an

Substanzen wie Neurotransmittern im menschlichen Gehirn zurückzuführen sind, was zu Depressionen führen kann. Durch die Wiederherstellung einiger dieser Gehirnchemikalien und die Herstellung eines gesunden Gleichgewichts können die Depressionssymptome bei einigen Menschen gelindert werden. An dieser Stelle kommen Medikamente wie Antidepressiva ins Spiel. Wir werden die verschiedenen Klassen und Arten von Antidepressiva später in diesem Buch besprechen.

Diese Theorie scheint am einfachsten in Angriff zu nehmen zu sein. Ich meine, es ist doch nur eine Frage der Biologie, der Mathematik und der Verschreibung, die jemanden wieder auf den richtigen Weg bringen kann, oder? Falsch. Obwohl es einfach zu sein scheint, ist die Behandlung von Depressionen eine äußerst komplexe Angelegenheit. Nur weil eine Person ihre Depression erfolgreich mit Medikamenten behandelt hat, heißt das nicht, dass die nächste Person mit der gleichen Methode Erfolg haben kann. Selbst eine Behandlungsmethode, die eine Zeit lang erfolgreich war, kann im Laufe der Zeit an Wirksamkeit verlieren oder sogar ganz aufhören zu wirken. Dafür gibt es zahlreiche Gründe, die die Wissenschaftler noch zu ergründen versuchen. Die Forscher investieren nach wie vor viel in diesen Bereich der Wissenschaft und versuchen, die Mechanismen der Depression, einschließlich der chemischen Substanzen in unserem Gehirn, besser zu verstehen, in der

Hoffnung, mehr Erklärungen und Beweise für diese komplexen Zusammenhänge zu finden, um weitere Behandlungsmethoden für die Menschen zu entwickeln.

Depressionen sind nach wie vor eine Erkrankung mit vielen Gesichtern. Allerdings erweist sich das Wissen um die chemische Komponente im Gehirn eines Menschen als sehr nützlich für Fachleute aus dem Bereich der psychischen Gesundheit und Medizin sowie für Menschen, die an depressiven Störungen leiden. Im Folgenden finden Sie eine Zusammenfassung der anerkannten wissenschaftlichen Erkenntnisse über depressive Störungen:

Neurotransmitter

Der Einfachheit halber werden die chemischen "Botenstoffe" in unserem Gehirn als Neurotransmitter bezeichnet. Die Nervenzellen in unserem Gehirn nutzen diese Botenstoffe, auch Neurotransmitter genannt, um miteinander zu kommunizieren. Wir glauben, dass die Botschaften, die sie senden, eine große Rolle bei der Stimmungsregulierung eines Menschen spielen. Die drei Neurotransmitter, die für Depressionen verantwortlich sind, sind:

- Dopamin
- Serotonin
- Norepinephrin

Neben diesen Neurotransmittern gibt es noch andere, die ebenfalls Nachrichten im Gehirn eines Menschen senden. Dazu gehören GABA, Acetylcholin und Glutamat. Wissenschaftler untersuchen noch immer, welche Rolle diese Chemikalien im Gehirn spielen, wenn es um Depressionen oder andere psychische Erkrankungen wie Fibromyalgie und Alzheimer geht.

Wir wollen ein wenig darüber lernen, wie unsere Zellen mit unseren Neurotransmittern kommunizieren. Eine Synapse ist der Raum zwischen zwei Nervenzellen. Wenn zwei Zellen miteinander kommunizieren wollen, können unsere Neurotransmitter verpackt und dann aus der Zelle freigesetzt werden, damit sie von der Zielzelle empfangen werden können. Während diese verpackten Neurotransmitter durch den Raum wandern, können postsynaptische Zellen diese Rezeptoren aufnehmen, wenn sie nach einer bestimmten Chemikalie suchen. Serotoninrezeptoren z. B. sind auf die Aufnahme von Serotoninmolekülen ausgerichtet. Wenn in diesem Raum überschüssige Moleküle verbleiben, sammelt die präsynaptische Zelle diese Moleküle ein und verwendet sie für eine andere Kommunikation, indem sie sie wieder aufbereitet. Verschiedene

Arten von Neurotransmittern übermitteln unterschiedliche Botschaften, die eine bestimmte Rolle bei der Gestaltung der Gehirnchemie eines Menschen spielen. Es wird angenommen, dass ein Ungleichgewicht dieser Chemikalien eine große Rolle bei Depressionen oder anderen psychischen Erkrankungen spielt.

Norepinephrin

Noradrenalin erfüllt als Neurotransmitter und Hormon eine doppelte Funktion. Es ist verantwortlich für die "Kampf- oder Flucht"-Reaktion, die der Mensch empfindet, einschließlich Adrenalin. Es hilft bei der Übermittlung von Nachrichten zwischen Zellen. In den 60er Jahren schlugen Wissenschaftler vor, dass Noradrenalin die Chemikalie von Interesse ist, wenn es um das menschliche Gehirn und Depressionen geht. Diese Wissenschaftler schlugen "Katecholamine" als Hypothese für alle Stimmungsstörungen vor. Sie schlugen vor, dass Depressionen dann auftreten, wenn nicht genügend Noradrenalin im menschlichen Gehirn vorhanden ist. Andererseits treten manische Störungen auf, wenn das Gehirn eines Menschen zu viel Noradrenalin enthält. Obwohl es viele Beweise gibt, die diese Aussage stützen, wurde sie von vielen anderen Forschern in Frage gestellt. Erstens haben sie herausgefunden, dass Veränderungen des Noradrenalinspiegels nicht bei jedem Menschen die Stimmung beeinflussen. Darüber hinaus können Depressionen bei manchen Menschen durch eine Veränderung des Noradrenalinspiegels gelindert werden. Letztlich wissen die Forscher heute, dass ein niedriger Noradrenalinspiegel nicht die einzige chemische Ursache für Depressionen ist.

Serotonin

Serotonin ist eine der bekanntesten Chemikalien in der Bevölkerung. Fast jeder weiß, dass Serotonin die "Wohlfühlchemikalie" im Gehirn des Menschen ist. Serotonin trägt nicht nur dazu bei, die Stimmung eines Menschen zu regulieren, sondern hat auch eine Vielzahl verschiedener Aufgaben im menschlichen Körper, von der Blutgerinnung bis hin zur Sexualfunktion. In Bezug auf Depressionen haben sich die Forscher in den letzten 20 Jahren auf Serotonin konzentriert. Dies ist der Erfindung von Antidepressiva wie Prozac oder anderen SSRI zu verdanken, die als selektive Serotonin-Wiederaufnahmehemmer bekannt sind. Wie der Name SSRI schon sagt, konzentrieren sich diese Medikamente auf die Wirkung von Serotoninmolekülen. Einige berühmte Ärzte haben ursprünglich vorgeschlagen, dass ein niedriger Serotoninspiegel auch zu einem Absinken des Noradrenalinspiegels führt, aber der Serotoninspiegel kann durch den Einsatz von Medikamenten zur Erhöhung des Noradrenalinspiegels manipuliert werden. Eine andere Art von Antidepressiva, die so genannten trizyklischen Antidepressiva (TCA), sind ebenfalls in der Lage, sowohl Serotonin als auch Noradrenalin zu beeinflussen. Sie wirken jedoch auch auf Histamin und Acetylcholin. Zu den Nebenwirkungen von TCAs gehören trockene Augen, trockener Mund, Lichtempfindlichkeit, eigenartiger Geschmack im Mund, verschwommenes Sehen, zögerliches Wasserlassen und Verstopfung. SSRIs haben folglich keine Auswirkungen auf den Acetylcholin- und Histaminspiegel und haben nicht die gleichen Nebenwirkungen wie TCAs. Aus diesem Grund entscheiden sich Ärzte und depressive Menschen eher für TCAs oder andere Klassen von Antidepressiva.

Dopamin

Die dritte Chemikalie, die eine große Rolle für die Stimmung des Menschen spielt, ist Dopamin. Die Chemikalie Dopamin ist ebenfalls sehr gut bekannt, und die Menschen wissen, dass sie für Glück und Stimmung verantwortlich ist. Dopamin erzeugt positive Gefühle im Zusammenhang mit Verstärkung und Belohnung und trägt dazu bei, dass Menschen motiviert bleiben, eine Tätigkeit oder Aufgabe fortzusetzen. Wissenschaftler glauben auch, dass Dopamin eine große Rolle bei zahlreichen Erkrankungen des Gehirns spielt, darunter Schizophrenie und

Parkinson. Es gibt Hinweise darauf, dass ein niedriger Dopaminspiegel bei manchen Menschen zu Depressionen führt. Wenn viele Behandlungen fehlschlagen, haben Ärzte Medikamente verschrieben, die wie Dopamin wirken, und dabei Erfolge erzielt. Dabei ist jedoch zu beachten, dass die meisten Medikamente, die bei Depressionen eingesetzt werden, erst nach mehr als 6 Wochen wirksam werden. In der heutigen Zeit konzentrieren sich die Forscher auch darauf, herauszufinden, ob Dopaminwirkstoffe in Medikamenten ein schnelleres Ergebnis bei der Behandlung von Depressionen erzielen können. Wir müssen jedoch bedenken, dass die Verwendung von Dopamin als Medikament einige schwerwiegende Nachteile mit sich bringt. Die Dopaminproduktion kann auch durch Freizeitdrogen wie Alkohol, Opiate und Kokain angeregt werden. Es ist nicht ungewöhnlich, dass sich Menschen bei Depressionen mit diesen Substanzen selbst behandeln. Wenn jemand seinen Dopamin-Belohnungskreislauf durch den Konsum von Substanzen aktiviert, können Abhängigkeiten entstehen.

Niedrige Neurotransmitter-Werte

Wenn wir davon ausgehen, dass Depressionen durch einen Mangel an Neurotransmittern verursacht werden, stellt sich die nächste Frage: Was genau sind die Ursachen für einen niedrigen Noradrenalin-, Dopamin- oder Serotoninspiegel? Jüngste

Forschungen haben einige mögliche Ursachen für chemische Ungleichgewichte im Gehirn eines Menschen gefunden. Dazu gehören:

- Nicht genügend Rezeptorstellen zur Aufnahme von Neurotransmittern vorhanden
- Es wird nicht genügend eines bestimmten Neurotransmitters produziert
- Nicht genügend Moleküle, die für die Bildung von Neurotransmittern verantwortlich sind
- Die präsynaptischen Zellen nehmen die Neurotransmitter wieder auf, bevor sie die Möglichkeit haben, von der Zielzelle empfangen zu werden.
- Die Moleküle, die für die Bildung von Neurotransmittern verantwortlich sind, gehen zur Neige

Eine Unterbrechung an irgendeiner Stelle des gesamten Prozesses kann zu einem geringeren Gehalt an Neurotransmittern führen. Zahlreiche neue Theorien konzentrieren sich auf die Faktoren, die niedrige Werte verursachen, z. B. mitochondrialer Stress. Eine der Hauptschwierigkeiten, die Ärzte und Forscher haben, wenn es darum geht, niedrige Konzentrationen von Gehirnchemikalien mit Depressionen in Verbindung zu bringen, besteht darin, dass es keine Methode gibt, die eine konsistente und genaue Messung ermöglicht. Andere Teile des menschlichen Körpers sind ebenfalls für die Herstellung von Neurotransmittern verantwortlich. Diese Mengen müssen ebenfalls gemessen und berücksichtigt werden, wenn es um die Diagnose von Depressionen und die Suche nach einer möglichst wirksamen Behandlungsmethode geht.

Arten von Depressionen

Wie bereits erwähnt, sind Depressionen bei jedem Menschen anders, und deshalb benötigen verschiedene Menschen auch verschiedene Behandlungsmethoden. Depressionen sind keine Einheitsgröße, sondern eine Störung, die in vielen Formen auftritt. Wenn bei Menschen eine Depression diagnostiziert wird, bestimmen die Ärzte den Schweregrad, indem sie feststellen, ob es sich um eine leichte, mittlere oder schwere Depression handelt. Dies zu bestimmen, kann eine komplizierte Aufgabe sein, aber zu wissen, welche Art von Depression Sie haben, kann Ihnen helfen, mit Ihren Symptomen umzugehen, und Ihnen helfen, die wirksamste Depression für Ihre spezifische Art von Depression zu finden. Lassen Sie uns ein paar verschiedene Arten kennenlernen:

Leichte und mittelschwere Depressionen

Die häufigsten Arten von Depressionen sind leichte und mittelschwere Depressionen. Bei dieser Art von Depression geht es um mehr als nur darum, sich "traurig" oder "niedergeschlagen" zu fühlen. Die Symptome dieser Art von Depression beeinträchtigen oft das Leben der Menschen, indem sie ihnen die Motivation und Freude rauben. Bei einer mittelschweren Depression können sich diese Symptome noch verstärken und führen oft zu einer Beeinträchtigung des Selbstwertgefühls und des Selbstbewusstseins.

Eine Form der "niedriggradigen" Depression wird als Dysthymie bezeichnet. Bei einer Dysthymie fühlen sich die Betroffenen meist leicht bis mittelschwer deprimiert, haben aber auch kurze Phasen mit normaler Stimmung. Hier sind einige charakteristische Merkmale der Dysthymie:

- Die Symptome der Dysthymie sind nicht so schwerwiegend oder stark ausgeprägt wie die Symptome der Major Depression, aber sie neigen dazu, lange Zeit anzuhalten (mindestens 2 Jahre)
- Manche Menschen berichten, dass sie zusätzlich zu ihrer Dysthymie auch intensive depressive Episoden erleben, was als "doppelte Depression" bezeichnet wird.

- Wenn eine Person an Dysthymie leidet, kann sie das Gefühl haben, ihr ganzes Leben lang depressiv gewesen zu sein. Sie denken vielleicht, dass ihre anhaltend schlechte Stimmung "einfach so ist, wie sie sind".

Major Depression

Die schwere Depression ist eine seltenere Form der leichten oder mittelschweren Depression; sie ist durch schwere und anhaltende Symptome gekennzeichnet. Hier sind zwei Merkmale der schweren Depression:

- Bleibt eine schwere Depression unbehandelt, hält sie in der Regel etwa 6 Monate an.
- Obwohl manche Menschen nur eine einzige depressive Episode in ihrem Leben erleben, kann es sich bei einer Major Depression um eine Störung handeln, die während ihres gesamten Lebens immer wieder auftritt

Atypische Depressionen

Die atypische Depression ist eine Unterform der Major Depression, die sehr häufig vorkommt und spezifische Symptommuster aufweist. Sie spricht auf einige Medikamente und Therapien besser an als auf andere. Die Identifizierung dieser Art von Depression ist sehr hilfreich, wenn es darum geht, eine Behandlung zu verschreiben. Hier sind einige Merkmale, die sie näher beschreiben:

- Menschen, die an einer atypischen Depression leiden, erleben in der Regel einen vorübergehenden Stimmungsaufschwung als Reaktion auf positive Ereignisse. Dazu gehört, dass man sich mit Freunden trifft oder eine gute Nachricht erhält.
- Zu den atypischen Depressionen gehören erhöhter Appetit, Gewichtszunahme, übermäßiger Schlaf, Empfindlichkeit gegenüber Ablehnung und ein "schweres Gefühl" in Armen und Beinen.

Saisonal abhängige Depression (SAD)

Obwohl viele Menschen glauben, dass es sich bei dieser Art von Depression nur um einen Mythos handelt, ist sie eine echte Erkrankung. Bei manchen Menschen kann die reduzierte Tageslichtdauer im Winter zu einer Form der Depression führen, die als saisonal abhängige Depression (SAD) bezeichnet wird. Obwohl es sich hierbei nicht um eine populäre Form der Depression handelt, sind 1 bis 2 % der Allgemeinbevölkerung von SAD betroffen, vor allem junge Menschen und Frauen. SAD kann dazu führen, dass sich ein Mensch völlig anders fühlt als im Sommer. Die Betroffenen fühlen sich oft gestresst, traurig, hoffnungslos und angespannt und haben wenig Interesse an Freunden oder Aktivitäten, die ihnen normalerweise Spaß machen. SAD beginnt in der Regel im Herbst oder Winter, wenn die Tage kurz sind, und hält an, bis die helleren Tage des Frühlings kommen.

Symptome von Depressionen

Einer der wichtigsten Teile dieses Kapitels ist das Kennenlernen der Symptome einer Depression. Wenn man versteht, welche Symptome durch eine Depression verursacht werden, kann man den Unterschied zwischen einer Trauerphase und einer echten Depression erkennen. Wenn sich eine Person traurig fühlt, negative Gedanken hat oder unter Schlafstörungen leidet, bedeutet das nicht unbedingt, dass sie eine Depression hat. Damit eine Person mit einer depressiven Störung diagnostiziert werden kann, muss sie diese Merkmale aufweisen:

- Die Symptome der Person müssen neu sein oder sich im Vergleich zum Zustand vor der depressiven Episode merklich verschlechtern.
- Die Symptome müssen die meiste Zeit des Tages anhalten und mindestens zwei aufeinander folgende Wochen lang fast täglich auftreten.

- Die Episode, die diese Person erlebt, muss außerdem mit einer Funktionsbeeinträchtigung oder einem klinisch bedeutsamen Leidensdruck einhergehen

Wenn Sie den Verdacht haben, dass Sie an einer depressiven Störung leiden, ist es äußerst wichtig, ALLE Symptome zu besprechen, die bei Ihnen auftreten können. Das Ziel der Behandlung von Depressionen ist es, den Menschen zu helfen, sich wieder mehr wie sie selbst zu fühlen, so dass sie die Dinge genießen können, die sie früher getan haben. Um dies zu erreichen, müssen Fachleute in der Lage sein, die richtige Behandlung zu finden, um alle ihre Symptome zu lindern und zu behandeln. Selbst wenn einer Person Medikamente verschrieben werden, die für ihre Art von Depression geeignet sind, kann dies eine gewisse Zeit in Anspruch nehmen. Manche Menschen müssen sogar verschiedene Medikamente ausprobieren, bis sie das für ihren Körper am besten geeignete finden. Bei der Behandlung von Depressionen geht es nicht nur darum, gesund zu werden, sondern vor allem darum, gesund zu bleiben.

Wir müssen uns in diesem Buch immer wieder vergegenwärtigen, dass eine Depression nicht einfach ein Stimmungswechsel oder ein Moment der "Schwäche" ist. Depressionen sind ein echtes medizinisches Leiden, das viele verhaltensmäßige, körperliche, emotionale und kognitive Symptome aufweist. Wir werden zunächst über die verschiedenen Arten von Depressionssymptomen sprechen.

Emotionale Symptome

Die häufigsten Symptome einer Depression sind emotionale Symptome. Diese Symptome sind diejenigen, bei denen Sie das Gefühl haben, dass Ihr Gemütszustand beeinträchtigt wird. Hier sind Beispiele für einige emotionale Symptome, die Menschen mit Depressionen zu ertragen haben:

- **Ständige Traurigkeit:** Dieses Symptom ist ein Gefühl der Traurigkeit, das bei einer depressiven Person ohne ersichtlichen Grund auftritt. Dieses Gefühl kann sich sehr intensiv anfühlen; oft hat man das Gefühl, dass es durch nichts zu vertreiben ist.
- **Gefühl der Wertlosigkeit:** Eine depressive Person hat oft unrealistische Gefühle von Wertlosigkeit oder Schuld. In der Regel gibt es kein bestimmtes Ereignis, das diese Gefühle auslöst; sie treten einfach zufällig auf.
- **Selbstmordgedanken oder dunkle Gedanken:** Diese Art von Gedanken können während einer Depression sehr häufig auftreten. Diese Gedanken müssen sehr ernst genommen werden, und wenn eine

Person diese Emotionen erlebt, muss sie sofort um Hilfe bitten.

- **Verlust des Interesses oder der Freude an Aktivitäten, die man früher gerne gemacht hat:** Eine depressive Person kann einen Interessenverlust erleben, der sich auf alle Bereiche ihres Lebens auswirkt. Das kann vom Verlust der Freude an früheren Hobbys bis hin zu alltäglichen Aktivitäten reichen, die die Person früher gerne gemacht hat.

Körperliche Symptome

Körperliche Symptome spielen eine große Rolle bei der Depression eines Menschen. Wenn Menschen körperliche Symptome verspüren, sind sie in der Regel kurz davor, zu erkennen, dass sie an einer Depression leiden. Viele Menschen denken, dass sich Depressionen auf emotionale Symptome beschränken, aber das ist nicht wahr. Hier sind einige körperliche Symptome der Depression:

- **Geringe Energie:** Menschen mit Depressionen haben typischerweise immer das Gefühl, wenig Energie zu haben, auch wenn sie sich nicht angestrengt haben. Diese Art von depressiver Müdigkeit ist insofern anders, als weder Schlaf noch Ruhe diese Müdigkeit lindern können.

- **Psychomotorische Beeinträchtigung:** Depressionen können dazu führen, dass eine Person das Gefühl hat, alles sei verlangsamt. Dazu gehören verlangsamtes Sprechen, Körperbewegungen, Denken, leises Sprechen, lange Pausen, bevor man antwortet, Tonfall oder Stummheit.
- **Schmerzen:** Depressionen können oft körperliche Schmerzen verursachen. Dazu gehören Gelenkschmerzen, Magenschmerzen, Kopfschmerzen, Rückenschmerzen oder andere Schmerzen).
- **Schlaflosigkeit oder Hypersomnie:** Wenn eine Person depressiv ist, ist ihr Schlaf oft unterbrochen und fühlt sich nicht erholsam an. Wenn die Person aufwacht, befindet sie sich in der Regel in einer Art geistiger Angst, die sie daran hindert, wieder einzuschlafen. In anderen Fällen kann das Gegenteil der Fall sein, wenn die Person übermäßig viel schläft.
- **Gewichtsveränderung:** Eine Gewichtsveränderung ist für Fachleute, die eine Depression diagnostizieren, ein wichtiges Zeichen.

Verhaltenssymptome

Neben emotionalen und körperlichen Symptomen spielen auch Verhaltenssymptome eine große Rolle bei der Diagnose einer Depression. Einige Verhaltenssymptome sind:

- **Veränderter Appetit:** Das häufigste aller Verhaltenssymptome von Depressionen ist eine Abnahme des Appetits. Menschen mit Depressionen berichten, dass ihnen das Essen geschmacklos vorkommt und sie glauben, dass alle Portionen zu groß sind. Infolgedessen nehmen manche Menschen stattdessen vermehrt Lebensmittel zu sich, insbesondere süße Speisen, was zu einer Gewichtszunahme führen kann.
- **Eindruck von Unruhe:** Manche Menschen sind bei Depressionen sehr nervös und unruhig. Es kann ihnen schwerfallen, still zu sitzen, nicht auf und ab zu gehen, mit Gegenständen herumzufuchteln oder mit den Händen zu ringen.

Kognitive Symptome

Kognitive Symptome sind eines der am wenigsten diskutierten Symptome bei Depressionen. Sie sind schwer zu diagnostizieren, da viele Menschen nicht wissen, ob sie unter ihnen leiden. Das wichtigste kognitive Symptom der Depression ist wie folgt:

- **Schwierigkeiten, Entscheidungen zu treffen oder sich zu konzentrieren:** Bei einer depressiven Person kann die Fähigkeit, sich zu konzentrieren oder zu denken, nachlassen. Dies führt dazu, dass sie ein unentschlossenes Verhalten an den Tag legen.

Kapitel 4: Vorteile und Nachteile der kognitiven Verhaltenstherapie

Wie im vorangegangenen Kapitel erläutert, haben wir gelernt, dass die CBT bei der Behandlung von Angstzuständen und Depressionen genauso wirksam, wenn nicht sogar wirksamer als Medikamente sein kann. Damit die CBT erfolgreich sein kann, muss der Einzelne einen engagierten Ansatz wählen. Im Folgenden werden wir die Vor- und Nachteile der CBT zur Bekämpfung Ihrer Angststörung erörtern.

Vorteile der CBT

1. Studien haben gezeigt, dass die kognitive Verhaltenstherapie bei der Behandlung von Angststörungen und anderen psychischen Störungen ebenso wirksam ist wie Medikamente.
2. CBT ist zeitabhängig - sie kann im Vergleich zu anderen Verhaltenstherapien in kurzer Zeit durchgeführt werden.
3. Die CBT ist stark strukturiert, was bedeutet, dass sie in verschiedenen Formaten eingesetzt werden kann. Dazu gehören Selbsthilfebücher, Gruppen und Computerprogramme.

4. Während der CBT lernen Sie hilfreiche und praktische Fertigkeiten, die Sie in Ihr tägliches Leben einbauen können. Das kann Ihnen helfen, mit aktuellen Belastungen und auch mit zukünftigen Schwierigkeiten umzugehen.

Nachteile von CBT

1. Um von der CBT in vollem Umfang profitieren zu können, müssen Sie sich auf den Prozess einlassen. Ein Therapeut kann Ihnen mit Rat und Tat zur Seite stehen, aber ohne Ihre Mitarbeit kann er Ihre Probleme nicht lösen.
2. Der strukturierte Charakter der CBT ist für Menschen mit Lernbehinderungen oder komplexeren psychischen Problemen möglicherweise nicht geeignet.
3. Manche Menschen argumentieren, dass die CBT nur bei aktuellen Problemen und spezifischen Fragestellungen hilft; sie geht nicht auf die möglichen Ursachen für psychische Probleme ein. Zum Beispiel eine unglückliche Kindheit.
4. Die CBT konzentriert sich häufig auf die Fähigkeit des Einzelnen, seine Gedanken, Gefühle und Verhaltensweisen zu ändern, geht aber nicht auf die umfassenderen Probleme ein, die in den Systemen oder

Familien bestehen. Diese Probleme haben in der Regel einen großen Einfluss auf die Gesundheit und das Wohlbefinden des Einzelnen.

Zusammenfassend lässt sich sagen, dass die CBT eine wirksame Hilfe bei der Bewältigung von Problemen wie z. B. Ängsten ist, damit diese sich weniger negativ auf Ihr Leben auswirken können. Es besteht jedoch immer die Gefahr, dass die Gefühle, die Sie mit Ihren Problemen verbinden, wiederkehren. Wenn Sie jedoch verstehen und wissen, wie Sie Ihre CBT-Fähigkeiten einsetzen können, sollte es Ihnen leicht fallen, sie zu kontrollieren. Wenn Sie die CBT mit einem Therapeuten oder im Rahmen eines Programms praktizieren, ist es wichtig, dass Sie die erlernten Fähigkeiten auch nach den Sitzungen anwenden.

Kapitel 5: CBT zur Bewältigung von Ängsten und Depressionen

Wir sind nun bei unserem wichtigsten Thema angelangt. Wie funktioniert die CBT bei der Behandlung von Angst und Depression? Wir wissen, dass die Grundlage der CBT auf der Beziehung zwischen Gedanken, Gefühlen und Verhalten beruht, und wir wissen auch, dass die Kontrolle unserer Gedanken auch zu einer Kontrolle unseres Verhaltens führt. Der erste Schritt der CBT ist das Erlernen der Fähigkeit, Ihre Sorgen zu kontrollieren. Wenn Sie die Kontrolle über Ihre Sorgen übernehmen, haben diese keine Möglichkeit, sich in Angst und Depression zu manifestieren.

Nicht hilfreiche Denkstile

Um die CBT effektiv anwenden zu können, müssen Sie die verschiedenen Arten von kognitiven Verzerrungen oder auch "nicht hilfreiche Denkstile" kennen. Wenn Sie diese verschiedenen Stile kennen, können Sie erkennen, wann sie auftreten, und die CBT einsetzen, um diese Gedanken/Sorgen zu ändern. Indem Sie feststellen, ob Ihre Sorgen berechtigt sind oder nicht, können Sie kontrollieren, ob Ihre Sorgen zu Ängsten führen. Im Folgenden finden Sie die zwölf Arten kognitiver Verzerrungen, die Sie lernen müssen:

1. Alles-oder-nichts-Denken: Dies ist auch als "Schwarz-Weiß-Denken" bekannt. Sie neigen dazu, die Dinge entweder schwarz oder weiß oder Erfolg oder Misserfolg zu sehen. Wenn Ihre Leistung nicht perfekt ist, sehen Sie sie als Misserfolg an.
2. Übergeneralisierung: Sie sehen eine einzige negative Situation als ein Muster, das nie endet. Sie ziehen aus einem einzigen Ereignis Rückschlüsse auf zukünftige Situationen.
3. Mentaler Filter: Sie wählen ein einziges unerwünschtes Detail aus und beschäftigen sich ausschließlich damit. Ihre Wahrnehmung der Realität wird dadurch negativ. Sie bemerken nur Ihre Misserfolge, aber Ihre Erfolge sehen Sie nicht.
4. Sie disqualifizieren das Positive: Sie disqualifizieren Ihre positiven Erfahrungen oder Erfolge, indem Sie sagen, "das zählt nicht". Indem Sie all Ihre positiven Erfahrungen außer Acht lassen, können Sie eine negative Perspektive beibehalten, selbst wenn diese in Ihrem täglichen Leben widersprüchlich ist.

5. Sie ziehen voreilige Schlüsse: Sie stellen eine negative Vermutung auf, auch wenn Sie keine Beweise haben. Es gibt zwei Arten von voreiligen Schlussfolgerungen:
    a. Gedankenlesen: Sie bilden sich ein, dass Sie bereits wissen, was andere Menschen negativ über Sie denken, und machen sich deshalb nicht die Mühe, danach zu fragen.
    b. Wahrsagerei: Sie sagen voraus, dass die Dinge schlecht ausgehen werden, und Sie überzeugen sich selbst davon, dass Ihre Vorhersage eine Tatsache ist.
6. Vergrößerung/Verkleinerung: Sie blähen Dinge auf oder verkleinern etwas unangemessen, um es unwichtig erscheinen zu lassen. Zum Beispiel heben Sie die Leistung eines anderen hervor (Vergrößerung) und bagatellisieren Ihre eigene (Verkleinerung).
7. Katastrophisieren: Sie verbinden schreckliche und extreme Konsequenzen mit dem Ausgang von Situationen und Ereignissen. Wenn Sie zum Beispiel bei einem Date abgelehnt werden, bedeutet das, dass Sie für immer allein sind, und wenn Sie bei der Arbeit einen Fehler machen, bedeutet das, dass Sie gefeuert werden.
8. Emotionale Argumentation: Sie gehen davon aus, dass Ihre negativen Gefühle die Realität widerspiegeln. Zum Beispiel: "Ich fühle es so, also ist es wahr".

9. "Sollte"-Aussagen: Sie motivieren sich selbst mit "sollte" und "sollte nicht", als ob Sie eine Belohnung oder Bestrafung assoziieren, bevor Sie etwas tun. Da Sie Belohnung/Bestrafung mit "sollte" und "sollte nicht" für sich selbst in Verbindung bringen, fühlen Sie Ärger oder Frustration, wenn andere Menschen sich nicht daran halten.
10. Etikettierung und falsche Etikettierung: Dies ist eine Übergeneralisierung im Extremfall. Anstatt Ihren Fehler zu beschreiben, weisen Sie sich selbst automatisch ein negatives Etikett zu: "Ich bin ein Verlierer". Sie tun dies auch bei anderen; wenn das Verhalten eines anderen unerwünscht ist, ordnen Sie ihm ebenfalls das Etikett "er ist ein Verlierer" zu.
11. Personalisierung: Sie übernehmen die Verantwortung für etwas, das nicht Ihre Schuld war. Sie sehen sich selbst als Ursache für eine äußere Situation.
12. Alles auf einmal, Vorurteile: Dies ist der Fall, wenn Sie glauben, dass Risiken und Bedrohungen direkt vor Ihrer Haustür lauern und die Zahl der Bedrohungen zunimmt. Wenn dies der Fall ist, neigen Sie dazu:
    a. Sie denken, dass sich negative Situationen schneller entwickeln, als Ihnen Lösungen einfallen
    b. Sie denken, dass sich die Situationen so schnell entwickeln, dass Sie sich überfordert fühlen

c. Denken Sie, dass zwischen jetzt und der drohenden Gefahr keine Zeit mehr ist
d. Zahlreiche Risiken und Bedrohungen scheinen alle gleichzeitig aufzutreten

Wenn Sie diese kognitiven Verzerrungen und nicht hilfreichen Denkstile verstehen, haben Sie die Möglichkeit, den Prozess zu unterbrechen und z. B. zu sagen: "Ich bin schon wieder am Katastrophisieren." Wenn Sie in der Lage sind, Ihre eigenen, nicht hilfreichen Denkstile zu unterbrechen, können Sie sie auf etwas Hilfreicheres umstellen. Im nächsten Kapitel werden wir einige Tipps und Tricks besprechen, die Ihnen dabei helfen, Ihre eigenen kognitiven Verzerrungen in Frage zu stellen. Dies ist eine der wichtigsten Strategien in der CBT.

Ihre nicht hilfreichen Denkstile in Frage stellen

Sobald Sie in der Lage sind, Ihre eigenen nicht hilfreichen Denkstile zu erkennen, können Sie versuchen, diese Gedanken in etwas Realistischeres und Sachlicheres umzugestalten. In diesem Kapitel habe ich die verschiedenen kognitiven Verzerrungen kategorisiert und aufgezeigt, welche Fragen Sie sich stellen sollten, um andere Gedanken zu entwickeln.

Denken Sie daran, dass es viel Mühe und Hingabe erfordert, unsere eigenen Gedanken zu ändern, also seien Sie nicht frustriert, wenn Sie nicht sofort Erfolg haben. Wahrscheinlich haben Sie diese Gedanken schon eine Weile, erwarten Sie also nicht, dass sie sich über Nacht ändern.

Überschätzung der Wahrscheinlichkeit

Wenn Sie feststellen, dass Sie sich Gedanken über ein mögliches negatives Ergebnis machen, aber feststellen, dass Sie die Wahrscheinlichkeit oft überschätzen, versuchen Sie, sich die folgenden Fragen zu stellen, um Ihre Gedanken neu zu bewerten.

- Wie groß ist nach meiner Erfahrung die Wahrscheinlichkeit, dass sich dieser Gedanke tatsächlich bewahrheitet?
- Was sind die anderen möglichen Ergebnisse dieser Situation? Ist das Ergebnis, an das ich jetzt denke, das einzig mögliche? Ist das von mir befürchtete Ergebnis das höchstmögliche unter den anderen Ergebnissen?
- Habe ich diese Art von Situation schon einmal erlebt? Wenn ja, was ist passiert? Was habe ich aus diesen

früheren Erfahrungen gelernt, das mir jetzt helfen würde?
- Was würde ich einem Freund oder einer geliebten Person sagen, wenn er/sie diese Gedanken hat?

Katastrophisieren

- Wenn die Vorhersage, vor der ich Angst habe, wirklich eintreten würde, wie schlimm wäre es dann wirklich?
- Wenn ich mich peinlich berührt fühle, wie lange wird das anhalten? Wie lange werden sich andere Leute daran erinnern/ darüber sprechen? Welche verschiedenen Dinge könnten sie sagen? Ist es zu 100 % sicher, dass sie nur über schlimme Dinge sprechen werden?
- Ich fühle mich im Moment unwohl, aber ist das wirklich ein schreckliches oder unerträgliches Ergebnis?
- Welche anderen Möglichkeiten gibt es, wie sich diese Situation entwickeln könnte?
- Wenn ein Freund oder ein geliebter Mensch diese Gedanken hätte, was würde ich ihm sagen?

Gedankenlesen

- Ist es möglich, dass ich wirklich weiß, was die Gedanken anderer Leute sind? Was sind die anderen Dinge, an die sie denken könnten?
- Habe ich irgendwelche Beweise, um meine eigenen Annahmen zu untermauern?
- Wenn meine Annahme stimmt, was ist dann so schlimm daran?

Personalisierung

- Welche anderen Faktoren könnten in der Situation eine Rolle spielen? Könnte es der Stress, die Fristen oder die Stimmung der anderen Person sein?
- Muss immer jemand die Schuld tragen?
- Für ein Gespräch ist nie nur eine Person zuständig.
- Hatte ich irgendeinen dieser Umstände nicht unter Kontrolle?

Sollte Aussagen

- Würde ich die gleichen Maßstäbe an einen geliebten Menschen oder einen Freund anlegen?

- Gibt es irgendwelche Ausnahmen?
- Wird jemand anders das anders machen?

Alles-oder-Nichts-Denken

- Gibt es einen Mittelweg oder eine Grauzone, die ich nicht berücksichtigt habe?
- Würde ich einen Freund oder einen geliebten Menschen auf dieselbe Art und Weise beurteilen?
- War die gesamte Situation zu 100% negativ? Gab es einen Teil der Situation, den ich gut gemeistert habe?
- Ist es so schrecklich, Angst zu haben/zu zeigen?

Selektive Aufmerksamkeit/Gedächtnis

- Was sind die positiven Elemente der Situation? Ignoriere ich diese?
- Würde eine andere Person diese Situation anders sehen?
- Welche Stärken habe ich? Ignoriere ich diese?

Negative Grundüberzeugungen

- Habe ich irgendwelche Beweise, die meine negativen Überzeugungen stützen?

- Ist dieser Gedanke in jeder Situation richtig?
- Würde ein geliebter Mensch oder ein Freund meinem Selbstvertrauen zustimmen?

Wenn Sie sich dabei ertappen, dass Sie diese nicht hilfreichen Denkmuster verwenden, stellen Sie sich die oben genannten Fragen, um Ihre eigenen Gedanken zu ändern. Denken Sie daran, dass der Kern der CBT die Idee ist, dass Ihre eigenen Gedanken Ihre Gefühle beeinflussen, die wiederum Ihr Verhalten beeinflussen. Wenn Sie Ihre Gedanken erkennen und ändern, bevor sie sich in eine Spirale verwandeln, haben Sie auch Ihre Gefühle und Ihr Verhalten unter Kontrolle.

Beispiele für die Anwendung von CBT zur Behandlung von Angstzuständen

In diesem Abschnitt des Buches haben Sie nun ein Verständnis dafür, was CBT, Angst, Sorgen und nicht hilfreiche Denkstile sind. Wir werden nun einige Beispiele aus dem wirklichen Leben anführen, in denen CBT zur Behandlung von Ängsten eingesetzt wird. Diese Beispiele basieren auf echten Therapiesitzungen, in denen die CBT eingesetzt wird, um dem Klienten zu helfen, seine Gedanken umzugestalten und seinen Denkstil zu ändern. In diesen Beispielen identifiziert der Therapeut die Probleme, mit denen der Klient konfrontiert ist, und beginnt dann, dem

Klienten beizubringen, wie er die CBT einsetzen kann, um seine Gedanken zu ändern.

Beispiel 1 (erste Sitzung)

Harriett ist 40 Jahre alt und hat zwei Kinder: Jeremy und Lynn, 17 bzw. 13 Jahre alt. Ihr Ehemann Michael ist Anwalt, und Harriett arbeitet als Designerin in einem Innenarchitekturbüro. Sie befindet sich wegen ihrer wiederkehrenden Panikattacken in Therapie und leidet an Depressionen. Hier ist die Abschrift des Gesprächs zwischen Harriett und ihrer Therapeutin Michaela.

Harriett: Aufgrund meiner jüngsten Panikattacken war ich nicht in der Lage, normal zu funktionieren. Mein Herz beginnt zu rasen, und ich habe das Gefühl, zu ersticken. Ich fange an, mich darauf zu konzentrieren. Ich bin mir eigentlich nicht sicher.

Michaela: Versuchen Sie, sich darauf zu konzentrieren; geben Sie mir ein Gefühl dafür, was passiert.

Harriett: Nun ja, eigentlich nimmt die Panik meinen ganzen Körper ein. Ich kann an nichts anderes denken. Mein Herz schlägt sehr schnell, und auch mein Blut fühlt sich heiß an und rast. Ich habe das Gefühl, dass ich sterbe. Ich war schon dreimal in der Notaufnahme, weil ich dachte, ich sei in Gefahr.

Michaela: Sie haben also das Gefühl, dass Sie total beschäftigt sind?

Harriett: Michael, mein Mann, war spät dran, und er hatte auch noch die Autoschlüssel verlegt. Die ganze Situation war der Wahnsinn. Nachdem ich alle versammelt hatte, begann ich zu schluchzen. Ich weinte so sehr, dass ich es nicht mehr kontrollieren konnte.

Michaela: Und was ist danach passiert?

Harriett: Nun, nachdem ich mich zusammengerissen hatte, machte ich mich für die Arbeit fertig. Als ich in mein Auto stieg, war ich wie erstarrt. Mein Herz fing wieder an zu rasen, und ich fühlte ein Kribbeln in den Armen. Ich dachte, ich würde ohnmächtig werden. Meine erste Reaktion war, mich in die Notaufnahme zu bringen, also rief ich Michael an, aber er war immer noch zu aufgebracht und wütend wegen des Vorfalls am Morgen. Er sagte, ich solle jemand anderen anrufen, der mich in die Notaufnahme bringt. Also rief ich meine einzige andere Möglichkeit an, meinen Sohn Jeremy, und er verließ die Schule, um mich in die Notaufnahme zu bringen. Das war mir so peinlich. Als ich von der Ärztin untersucht wurde, sagte sie, dass mit mir alles in Ordnung sei.

Michaela: Was denken Sie darüber?

Harriett: Ich war mir sicher, dass mit mir definitiv etwas nicht stimmte. Die körperlichen Gefühle, die ich empfand, waren so real; kennen Sie das Kribbeln und das Herzrasen? Der Arzt schlug vor, dass ein Psychiater mir helfen könnte.

Michaela: Hast du also einen Termin beim Psychiater gemacht?

Harriett: Ja, ich habe mich einer Reihe von Tests unterzogen, und alle meine Ergebnisse waren negativ. Am nächsten Tag hatte ich einen weiteren Termin bei einem anderen Psychiater, und er verschrieb mir ein Medikament, das ein wenig zu helfen scheint.

Michaela: Wissen Sie, welche Art von Medikamenten Ihnen verschrieben wurde?

Harriett: Ich glaube, es waren Antidepressiva. Ich bin mir nicht ganz sicher.

Michaela: Warst du schon einmal depressiv?

Harriett: Ja, ich denke schon. Ich habe das Gefühl, dass ich mein ganzes Leben lang mit depressiven Phasen zu kämpfen hatte.

Michaela: Nennen Sie mir einige Beispiele für Ihre Kämpfe mit Depressionen.

Harriett: Nun, ich habe zum Beispiel das Gefühl, dass ich im Moment damit kämpfe. Mein Mann ist Anwalt, was bedeutet, dass er so ziemlich den ganzen Tag beschäftigt ist, jeden Tag. Jeremy ist ein Teenager und ebenfalls ständig beschäftigt. Lynn wird langsam pubertär und ist in einer Phase, in der sie das Gefühl hat, dass ihre Mutter immer im Unrecht ist. Ich habe das Gefühl, die ganze Zeit auf Eierschalen zu laufen. Ich habe ständig das Gefühl, wertlos zu sein. Ich habe das Gefühl, alle Hoffnung verloren zu haben.

Michaela: Sie haben also das Gefühl, dass alles düster ist und es keine Hoffnung gibt?

Harriett: Ja, ich habe das Gefühl, dass mein Leben miserabel ist. Fast wie eine Tragödie.

Michaela: Es ist also nicht nur jetzt?

Harriett: Nein.

Michaela: Erzählen Sie mir mehr darüber, was Sie fühlen.

Harriett: Nun, als ich 13 Jahre alt war, so alt wie Lynn, starb meine Mutter an Krebs. Es fühlte sich an, als würde mein ganzes Leben zu Ende gehen. Ich habe meine Mutter so sehr geliebt, und ich denke ständig darüber nach, wie es für meine Tochter wäre, wenn ich...

Michaela: Wenn das, was deiner Mutter passiert ist, auch dir passieren würde?

Harriett: Ja.

Michaela: Was es sein würde...?

Harriett: Ich frage mich, wie es für meine Tochter sein würde.

Michaela: Und ihr wart im gleichen Alter?

Harriett: Ja, ich war 13, als meine Mutter starb. Genauso alt wie Lynn jetzt. Ich denke immer an all die Dinge zurück, die ich in dieser Zeit zu tun hatte. Ich war das älteste Geschwisterkind, also übernahm ich die Aufgabe, mich um meinen Vater, meine Schwester und meinen Bruder zu kümmern.

Michaela: Wie war es denn so? Was musstest du tun?

Harriett: Mein Vater wurde sehr depressiv und fing an zu trinken. Ich musste mich um ihn kümmern. Ich stand als erste von allen auf und machte das Frühstück für sie fertig. Ich musste dafür sorgen, dass mein Vater zur Arbeit ging, was bedeutete, dass ich ihn aufwecken musste. Danach musste ich für alle das Mittagessen zubereiten und mich dann für die Schule fertig machen. Ich musste auch den ganzen Tag über nach meinen Geschwistern sehen.

Michaela: Was hältst du davon?

Harriett: Der Nichtumgang mit unseren Gefühlen war ein ständiges Thema in meiner Familie. Wir haben unsere Gefühle einfach verdrängt und weggeschoben.

Michaela: Sie haben sie runtergedrückt? Aha, ich verstehe. Was war denn mit deinem Vater los? Du hast erwähnt, dass er depressiv war und viel getrunken hat.

Harriett: Ja. Er vermisste meine Mutter sehr, und ich verstand das, ich vermisste sie auch. Ich war das älteste Kind, also hat er vieles an mir ausgelassen.

Michaela: Wie hat er die Dinge an Ihnen ausgelassen?

Harriett: Er hat ständig Witze darüber gemacht, dass ich zu dumm sei, um aufs College zu gehen. Ich wollte aufs College gehen.

Michaela: Er würde dich also kritisieren?

Harriett: Ja, er hat mich ständig herabgesetzt, und ich habe ihm gesagt, dass er mich herabgesetzt hat. Er wurde wütend und sagte dann, dass er nur einen Scherz gemacht habe.

Michaela: Wie hast du dich dabei gefühlt?

Harriett: Ich habe mich furchtbar gefühlt, weil man sich über einen "Scherz" nicht so sehr aufregen kann. Ich war verwirrt. Ich habe all diese Gefühle aufgenommen und sie so weit wie möglich in mich hineingestopft.

Michaela: Ist es etwas, das du immer noch tust, um Gefühle zu unterdrücken?

Harriett: Ja, Michael hat auch diese Tendenz zur Kritik.

Michaela: Und wenn Sie mit dieser Art von Kritik konfrontiert werden, wie fühlen Sie sich dann?

Harriett: Ich werde richtig wütend, und hinterher wird mir meist gesagt, dass es nur ein Scherz war.

Michaela: Was tust du, wenn du diese Gefühle von Wut bekommst?

Harriett: Ich stopfe die Gefühle in mich hinein. Ich mag es nicht, mich mit diesen Gefühlen auseinanderzusetzen.

Michaela: Wenn Sie Ihre Gefühle so unterdrücken, wie Sie es bei Michael und Ihrem Vater tun, welche Auswirkungen hat das auf Sie? Welchen Preis zahlst du, um deine Gefühle zu unterdrücken?

Harriett: Ich weiß es nicht.

Michaela: Ich bin mir auch nicht sicher. Das könnte ein mögliches Thema sein, das wir in unseren zukünftigen Sitzungen besprechen können.

Harriett: Ja.

Michaela: Also gut, mal sehen, ob ich mit allem, was du mir bisher gesagt hast, übereinstimme. Bitte lassen Sie mich wissen, wenn ich falsch liege. Du hast mit einer Menge Panik zu kämpfen, und du hast sie durch die Anfälle, die du hattest, erlebt. Das hat Sie sogar ein paar Mal in die Notaufnahme geführt. Es scheint, als würden Sie einige verschiedene Dinge durchmachen.

Harriett: Ja, richtig.

Michaela: Lassen Sie uns zunächst darüber sprechen, was wir gegen diese Panikattacken tun können. Dann lassen Sie uns über Ihr Geschäft der Gefühlsunterdrückung sprechen und darüber, welche Auswirkungen das auf Sie hat.

Michaela: Ich möchte, dass du versuchst, zu bemerken, wann du anfängst, Panikattacken zu haben und wann genau du anfängst, deine Gefühle zu verdrängen. Wir werden das in unserer nächsten Sitzung besprechen.

In diesem Beispiel konnte die Therapeutin Michaela zwei wichtige Themen identifizieren. Das erste waren Harriett's

Panikattacken; wir werden dies weiter erforschen und einen Behandlungsplan erstellen, da dies ihr Leben stark beeinträchtigt. Sobald Harriett in der Lage ist, ihre Panikattacken unter Kontrolle zu halten, können wir das nächste Problem angehen, nämlich die Auswirkungen ihrer Depressionen und Ängste.

Beispiel #2 (Sitzung zwei)

Michaela: Lassen Sie uns ein besseres Gefühl für Ihre Panikattacken bekommen. Erzählen Sie mir von dem schlimmsten Vorfall, den Sie hatten.

Harriett: Es war ein verrückter Morgen; alle waren gerade weg. Michael ging zur Arbeit und die Kinder gingen zur Schule. Als alle weg waren, fing ich einfach unkontrolliert an zu weinen. Irgendwie hörte mein Weinen auf, und ich begann, mich für die Arbeit fertig zu machen.

Michaela: Lassen Sie uns etwas ausprobieren. Darf ich Sie bitten, Ihre Augen zu schließen und sich auf Ihrem Stuhl zurückzulehnen?

Harriett: Ja, sicher.

Michaela: (Während dieser Zeit erforscht Michaela Harrietts Gedankengänge und Gefühle im Zusammenhang mit dem Vorfall. Sie verwendet eine bildhafte Technik, um sie dazu zu bringen, die Gedanken wahrzunehmen, denen sie normalerweise keine Aufmerksamkeit schenken würde. Ziel dieser Übung ist es, Harriett dabei zu helfen, zu erkennen, dass ihre Gedanken und Gefühle miteinander verbunden sind und wie dies ihr körperliches Verhalten, wie ihre Panikattacken, beeinflusst).

Harriett: Ich stieg in mein Auto, als ich gerade zur Arbeit fahren wollte. Plötzlich wurde mir schwindelig. Ich bekam Angst, weil ich dachte, die Panikattacke käme wieder. Mein Herz begann sehr schnell zu schlagen, und ich begann schwer und sehr schnell zu atmen. Ich dachte, ich müsste in die Notaufnahme, weil ich einen Herzinfarkt hatte. Ich hatte Angst, dass ich es nicht schaffen würde. Ich dachte, ich müsste Hilfe holen. Ich hatte das Gefühl, dass meine Lunge mich einschnürt.

Michaela: (Michaela erkennt, dass Harriett eine katastrophale Einschätzung der Situation hat, indem sie beschreibt, dass sie denkt, sie würde wieder sterben und einen Herzinfarkt bekommen. Michaela möchte Harriett zu verstehen geben, dass sie während ihrer Panikattacken kein passives Opfer ist und dass sie, wenn sie ihre Situation aus einer neuen Perspektive betrachten könnte, die Möglichkeit hätte, anders damit umzugehen. Sie kann ihr eigenes Ergebnis ändern)

Michaela: In dieser Situation waren alle in die Schule oder zur Arbeit gegangen, und Sie fühlten ein Gefühl der Erleichterung. Dann hatten Sie dieses Gefühl der Panik?

(Damit Michaela Harriett helfen kann, den Zusammenhang zwischen auslösendem Stimulus, Gedanken, Gefühlen und Verhalten zu erkennen, beschließt Michaela, die Metapher einer visuellen Uhr zu verwenden, damit Harriett ihre Situation klar sehen kann. 12:00 Uhr ist die Situation, 3:00 Uhr sind ihre beunruhigenden Gefühle, Ängste und Befürchtungen, 6:00 Uhr sind die katastrophalen Gedanken, die automatisch auftreten, und 9:00 Uhr ist das Verhalten einer Panikattacke).

Michaela: Also die Gedanken, die du hattest: "Passiert das schon wieder? Ich verliere die Kontrolle!" Dann können Sie nicht zur Arbeit gehen und suchen nach Hilfe: "Wen kann ich anrufen, um mir zu helfen?" Das klingt, als wäre es ein Kreislauf.

Harriett: Ja, ein Teufelskreis.

Michaela: Das ist etwas, das wir uns ansehen können. (Mit Harriett's Zustimmung half Michaela ihr, Wege zu finden, wie

Harriett beginnen kann, ihre eigenen Gedanken zu kontrollieren)

Michaela: Eine Maßnahme, mit der Sie beginnen sollten, ist, zu notieren, wann Sie Angstgefühle bekommen. Seien Sie sehr genau, wenn dies geschieht. Dann können wir die spezifischen angstauslösenden Situationen aufzeichnen.

Harriett: Ja.

Michaela: (Der Schwerpunkt der Behandlung liegt hier darauf, Harrietts Panikattacken unter Kontrolle zu bringen. Michaela wird dies tun, indem sie Harriett beibringt, welche Rolle die Erwartungsangst bei der Entstehung von Panikattacken spielt. Michaela wird Harriett auch dabei helfen, ihre Symptome zu bewältigen, auf Warnzeichen zu achten, ihren inneren Kritiker zu unterbrechen, Atemübungen, Entspannungstraining, kognitive Umstrukturierung, um katastrophale Denkweisen zu kontrollieren, Angstsymptome richtig zu interpretieren und Bewältigungstechniken zu erlernen).

Am Ende der zweiten Sitzung hat Michaela beschlossen, dass sie den folgenden kognitiven Verhaltenstherapieplan für Harriett umsetzen wird:

- Lernen, welche Rolle die Erwartungsangst bei Panikattacken spielt
- Das Wesen der Panikstörung
- Fertigkeiten zur Bewältigung von Angst-/Paniksymptomen
- Kognitive Umstrukturierung (Änderung nicht hilfreicher Denkstile)
- Abgestufte Exposition gegenüber Panikreizen
- Bewältigungstechniken

Beispiel #3 (Sitzung drei)

Harriett: Als ich letzten Dienstag abends in Lynns Zimmer ging, um ihr mitzuteilen, dass das Abendessen fertig ist, fing sie an, mich anzuschreien wegen...

Michaela: (fährt fort, Harrietts Ängste zu beobachten, indem sie ihre Aufmerksamkeit auf Harrietts Gedanken und Gefühle während der Situation richtet)

Michaela: Helfen Sie mir, besser zu verstehen, was mit Lynn passiert ist. Wie hast du dich gefühlt, als du in ihr Zimmer gegangen bist?

Harriett: Nun, ich hatte das Gefühl, dass die Explosion nicht meine Schuld war. Ich hatte das Gefühl, dass es unfair war. Ich hatte das Gefühl, ich hätte nichts dagegen tun können. Ich begann zu denken, dass in dieser Familie nichts, was ich tue, richtig ist.

Michaela: Was ist dann passiert?

Harriett: Ich habe ihr Zimmer verlassen. Ich konnte sehen, wie ich anfing, mich darüber aufzuregen. Ich spürte, dass sich meine Brust vor diesen Gefühlen zu verschließen begann.

Michaela: (Michaela bemerkt, dass Harriett dazu neigt, ihre Gefühle von Irritation und Ärger als Anspannung und Angst zu interpretieren. Sie beschreibt sie mit körperlichen Begriffen, wie z. B. ein Engegefühl in der Brust.)

Harriett: Mein ganzer Körper fühlte sich sehr angespannt an, aber ich versuchte, mich zu beruhigen.

Michaela: Hast du das Gefühl, dass dein Herz wieder rast?

Harriett: Ja, mein Herz raste, und meine Atmung war wie erstickt.

Michaela: Was ist dieses Mal passiert?

Harriett: Ich habe mich gerade aus der Situation befreit, indem ich Lynns Zimmer verlassen habe.

Michaela: (Nach einem kurzen Überblick über Harrietts Gedanken, Gefühle, Emotionen und Verhaltensweisen beschloss Michaela, sich auf Harrietts Hyperventilation zu konzentrieren. Sie möchte Harriett helfen, ihre körperlichen Veränderungen während des Hyperventilierens zu regulieren und Harriett ein Gefühl der Kontrolle zu geben. Michaela beschließt, eine Methode namens Zwerchfellatmung als Bewältigungsinstrument für Harriett einzusetzen).

Michaela: Wenn Menschen Panikattacken erleben, neigen sie dazu, sehr schnell zu atmen. Das ist der Akt der Hyperventilation. Wenn Menschen diese Art von Atemmuster erleben, neigen sie dazu, ihren Körper zu verspannen. Viele der Gefühle, die Sie während Ihrer Panikattacken empfinden - Kribbeln, Schwindel, Hitzewallungen und Erfrierungen - sind also alles Symptome, die mit Ihrer Atmung zusammenhängen. Wenn Sie also lernen, Ihre Atmung zu kontrollieren, kann Ihnen das helfen, den Teufelskreis der Hyperventilation zu durchbrechen. Nehmen wir uns eine Minute Zeit, um eine Atemübung zu machen.

Harriett: Sicher.

Michaela: Großartig. Das wird Ihnen eine Vorstellung davon geben, was Sie kontrollieren können. Bitte lehnen Sie sich in Ihrem Stuhl zurück und nehmen Sie eine bequeme Position ein. Dann schließen Sie die Augen.

Michaela: Beginnen Sie mit einem langsamen und tiefen Atemzug, der Ihre Brust füllt, und halten Sie ihn an. Atme langsam aus und stelle dir vor, dass du versuchst, einen Löffel Suppe abzukühlen, indem du ihn anhauchst, ohne ihn zu verschütten. Spüren Sie die Wärme und Ruhe der Suppe. Denken Sie an die Dinge, die wir darüber besprochen haben, dass Anspannung stark zum Teufelskreis der Hyperventilation beiträgt.

Michaela: (Im nächsten Schritt beschließt Michaela, sich auf die kognitive Komponente von Harrietts Panikstörung zu konzentrieren. Michaela beschließt, Harrietts Gedanken anhand einer Anekdote zu untersuchen).

Michaela: Ein weiterer Teil dieses Teufelskreises, über den wir gesprochen haben, sind die Gedanken, die Sie haben. Damit wir beide sie besser verstehen können, lassen Sie uns zu der

Situation mit Lynn zurückgehen und untersuchen, was Sie gedacht und wie Sie sich in jeder Phase gefühlt haben.

Harriett: In Ordnung.

Michaela: Lassen Sie uns an dem Punkt anknüpfen, an dem Sie in Lynns Zimmer gegangen sind. Was hat sie gesagt?

Harriett: Sie fing an, mich anzuschreien, weil ich immer in ihre Privatsphäre eindringe. Ich fand das so ungerecht. Ich habe nichts Falsches getan, als ich ihr sagte, dass das Essen fertig ist.

Michaela: Sie hat dich also wahllos angegriffen?

Harriett: Ja, ich habe nichts getan. Nachdem ich ihr Zimmer verlassen hatte, dachte ich darüber nach, dass ich nie das Richtige für meine Familie tun kann und dass ich immer im Unrecht bin. Ich kann es nie richtig machen und ich bin wertlos.

Michaela: Diese Gedanken "Ich mache nie etwas richtig, und ich werde nie geschätzt" sind also Teil deines Teufelskreises?

Harriett: Ja, genau.

Michaela: Ich würde gerne zwei Komponenten dieses Themas untersuchen. Die erste ist: Was können Sie tun, um Ihre Gedanken zu verändern? Die zweite ist: Woher kommen diese Gedanken und Gefühle? Beginnen wir damit, dass wir versuchen, aus diesem Kreislauf auszubrechen, und dann gehen wir dazu über, herauszufinden, woher Ihre Gefühle kommen.

Harriett: Okay.

Michaela: Erzählen Sie mir, was das für Gedanken waren.

Harriett: Also, ich fand es nicht fair, dass sie mich so angeschrien hat. Es ist ja nicht so, dass ich etwas falsch gemacht hätte. Ich wollte sie nur wissen lassen, dass das Essen fertig ist. Als ich anfing, ihr Zimmer zu verlassen, begann ich zu denken, dass es immer so ist. Ich bin immer im Unrecht, und ich mache nichts richtig. Ich bin ein kompletter Versager.

Michaela: (Wenn Harriett diese Gedanken beschreibt, identifiziert Michaela sie als automatische Gedanken. Sie wird Harriett helfen, die Beweise zu finden, die ihre Gedanken unterstützen oder nicht unterstützen, um Harriett zu helfen, die Dinge aus einer anderen Perspektive zu sehen.)

Michaela: Stimmt es, dass Sie ein totaler Versager sind?

Harriett: Nein, absolut nicht.

Michaela: Genau, du bist kein völliger Versager.

Harriett: Nein, das bin ich nicht.

Michaela: In welcher Hinsicht bist du kein völliger Versager? (Michaela fordert Harriett auf, Beweise dafür zu finden, dass sie nicht immer versagt.)

Harriett: Ich habe in der Vergangenheit so viel getan, und ich musste meine Geschwister aufziehen, als ich noch ein Kind war. Mein Vater sagte mir immer wieder, dass ich nicht zur Schule gehen könne, weil ich zu dumm sei. Ich habe dafür gesorgt, dass ich trotzdem zur Schule ging, und ich habe alles selbst bezahlt.

Michaela: Du hast also dein Studium selbst bezahlt?

Harriett: Ja.

Michaela: Als deine Mutter starb, musstest du dich also um deinen Vater und deine Geschwister kümmern.

Harriett: Ja.

Michaela: Dann bist du zur Schule gegangen?

Harriett: Ja. Mein Vater war extrem depressiv und hat nur noch getrunken. Er sagte mir ständig, dass ich zu dumm sei, um Innenarchitektur zu studieren. Um ihm das Gegenteil zu beweisen, ging ich auf eine Kunstschule und studierte.

Michaela: Sie haben es also trotz der Dinge, die er über Sie gesagt hat, geschafft?

Harriett: Ja.

Michaela: Haben Sie noch andere Beispiele, warum Sie kein Versager sind?

Harriett: Nun, Jeremy wurde an einem guten College angenommen und ist dabei zu gehen, das ist wirklich großartig. Den Kindern geht es ziemlich gut.

Michaela: Wie sieht es mit Ihrer Arbeit aus? Hast du das Gefühl, dass du auch dort versagst?

Harriett: Überhaupt nicht, ich arbeite schon seit über zwei Jahren dort.

Michaela: Wenn du also davon ausgehst, dass du ein totaler Versager bist, passt das zu der Beschreibung von jemandem, der all diese Dinge erreicht hat?

Harriett: Nein, ich glaube nicht.

Michaela: (Die Diskussion über die Beweise, die dafür sprechen, dass Harriett keine Versagerin ist, hat ihr Hoffnung gegeben. Bei dieser Erkenntnis begann sie leise zu weinen)

Michaela: Stimmt die Annahme, dass Sie wertlos und ein völliger Versager sind, mit den Beweisen überein, wer Harriett tatsächlich ist?

Harriett: Nein.

Michaela: (Um Harrietts Reaktionen zu bestätigen, beschließt Michaela, Harriett dabei zu helfen, zu verstehen, dass die Gefühle, die sie hatte, nicht nur normal, sondern angesichts ihrer Kindheit und der Geschichte mit ihrem Vater angemessen sind)

Michaela: Die Tränen, die du jetzt hast, sind ein Zeichen dafür, wie sehr du jetzt mit deinen Gefühlen in Kontakt bist.

Harriett: Ja, das sind sie.

In den nächsten drei Sitzungen mit Harriett und Michaela konnten sie eine Reihe von CBT-Techniken anwenden, um Harriett zu helfen, ihre Panikattacken zu kontrollieren. Sie setzten die Zwerchfellatmung ein, um ihre Hyperventilation und ihre Erwartungsangst in den Griff zu bekommen. Sie identifizierten Harriett's kognitive Verzerrungen und ihre Tendenz zur Katastrophenbewältigung und übten, ihre eigenen Gedanken zu überprüfen, um festzustellen, was wahr ist und was nur ein Gedanke. Michaela ermutigte Harriett, diese Bewältigungsstrategien jeden Tag zu üben, um zu sehen, was bei ihr funktionierte und was nicht.

Bei der Analyse der letzten drei Beispiele konnten wir deutlich sehen, wie der Therapeut Bereiche identifizierte, in denen Michaela nicht hilfreiche Denkstile an den Tag legte. In diesem Fall war es das Katastrophisieren. Wir konnten sehen, wie der Therapeut die CBT einsetzt, um diese Gedanken zu identifizieren, von denen einige automatisch ablaufen, und um dem Klienten zu helfen, seine eigenen Beweise zu finden, die mit diesen Gedanken im Widerspruch stehen. Die Atemtechniken werden eingesetzt, um die Angstsymptome zu lindern und die Aufmerksamkeit von den ängstlichen Gedanken auf die

Bewältigung der körperlichen Symptome zu lenken. In den obigen Beispielen haben Sie vielleicht bemerkt, dass es entscheidend ist, dass Klient und Therapeut als Team arbeiten. Es bedarf der vollen Zusammenarbeit und des Engagements beim Üben neuer Fähigkeiten, Denkprozesse und Bewältigungstechniken. Die CBT ist nur dann wirksam, wenn der Klient sie in seinem täglichen Leben anwendet.

Einsatz von CBT zur Behandlung anderer psychischer Störungen

In diesem Buch haben wir uns hauptsächlich darauf konzentriert, wie die CBT zur Bekämpfung von Störungen wie Angst eingesetzt wird, aber die CBT wurde ursprünglich für die Behandlung von Depressionen entwickelt. Seitdem wurde die CBT zur Behandlung einer Vielzahl von Störungen in unterschiedlichen Bereichen eingesetzt. In über 250 Analysen und Forschungsarbeiten, die in den letzten Jahrzehnten durchgeführt wurden, fanden Wissenschaftler starke Belege für den Einsatz von CBT bei verschiedenen Arten von psychischen Störungen. Während sich die meisten dieser Studien auf die erwachsene Bevölkerung konzentrierten, gibt es auch einige Belege für den Einsatz der CBT bei Kindern, Jugendlichen und älteren Menschen.

CBT gegen Angstzustände einsetzen

Die meisten der bisherigen Forschungsergebnisse und Praktiken sprechen für die Anwendung der CBT bei der Behandlung von Angstzuständen. Die CBT ist sehr wirksam bei der Behandlung von Angststörungen wie sozialen Ängsten, generalisierten Ängsten und PTSD. Sie hat sich auch bei weniger verbreiteten Störungen wie Phobien und Zwangsstörungen als wirksam erwiesen. Das National Institute for Health and Care Excellence (NICE) empfiehlt die kognitive Verhaltenstherapie sogar als ersten Ansatz zur Behandlung von Angststörungen.

CBT gegen Depressionen anwenden

Es gibt überzeugende Belege für den Einsatz von CBT zur Behandlung von Depressionen auf mittlerem Niveau. Es gibt jedoch keine stichhaltigen Beweise, die CBT als Behandlung für schwerere Depressionen oder bipolare Störungen unterstützen. Dennoch schneidet die CBT bei mittelschweren Depressionen besser ab als keine Behandlung und besser als andere pharmazeutische oder Verhaltenstherapien. Die Belege für schwere Depressionen sind uneinheitlich, aber einige Studien deuten darauf hin, dass CBT ebenso wirksam ist wie Medikamente. Es wird auch erwähnt, dass CBT wirksam ist, wenn es darum geht, Rückfälle in eine BPD zu verhindern.

Kapitel 6: Andere Methoden zur Bewältigung von Ängsten und Depressionen

Obwohl die CBT eine wirksame Behandlung von Angstzuständen und Depressionen ist, gibt es alternative Methoden, die ihre Wirksamkeit unterstützen, wenn sie ebenfalls praktiziert werden. Methoden wie Achtsamkeit und Meditation, die Verbesserung der körperlichen Gesundheit, die Vermeidung von schlechten Angewohnheiten wie Aufschieberitis und das Üben von Dankbarkeit können bei der Bewältigung von Angstzuständen und Depressionen viel bewirken. Werfen wir einen Blick auf diese anderen Methoden.

Achtsamkeit und Meditation

Die am häufigsten praktizierte Meditation ist die Achtsamkeitsmeditation. Achtsamkeitsmeditation ist eine Art mentales Training, bei dem Sie Ihren Geist auf Ihre eigenen Gedanken und Empfindungen im gegenwärtigen Moment konzentrieren. Dazu gehören Ihre aktuellen Emotionen, körperlichen Empfindungen und vorübergehenden Gedanken. Achtsamkeitsmeditation umfasst in der Regel Atemübungen, mentale Bilder, die Wahrnehmung von Geist und Körper sowie

Muskel- und Körperentspannung. Für Anfänger ist es in der Regel einfacher, einer geführten Meditation zu folgen, die sie durch den gesamten Prozess leitet. Es ist sehr leicht, während der Meditation abzudriften oder einzuschlafen, wenn Sie von niemandem angeleitet werden. Wenn Sie in der Achtsamkeitsmeditation geübt sind, können Sie sie auch ohne stimmliche Anleitung durchführen, aber das erfordert starke geistige Fähigkeiten.

Achtsamkeitsmeditation

Als Nächstes werden wir besprechen, wie man Achtsamkeitsmeditation praktiziert. Eines der ursprünglichen und standardisierten Programme für diese Art der Meditation ist das Programm zur achtsamkeitsbasierten Stressreduzierung (MSBR). Dieses Programm wurde von Dr. Jon-Kabat-Zinn entwickelt, der früher Schüler des buddhistischen Mönchs Thich Nhat Hanh war. Dieses spezielle, standardisierte Programm konzentriert sich auf das eigene Bewusstsein und darauf, die Aufmerksamkeit auf die Gegenwart zu lenken. Diese Methode wird in zunehmendem Maße in der Medizin eingesetzt, um viele Gesundheitszustände wie Stress, Schmerzen und Schlaflosigkeit zu behandeln. Diese Methode ist ziemlich einfach. Es wird jedoch empfohlen, sich zu Beginn von einem Lehrer oder Programm anleiten zu lassen. Die meisten Menschen praktizieren sie mindestens zehn Minuten pro Tag, aber schon ein paar Minuten täglich können einen Unterschied für Ihr Wohlbefinden bedeuten. Dies ist die grundlegende Technik, die Ihnen den Einstieg erleichtern wird:

1. Suchen Sie sich einen ruhigen Ort, an dem Sie sich wohl fühlen. Idealerweise ist das Ihr Zuhause oder ein Ort, an dem Sie sich sicher fühlen. Setzen Sie sich auf einen Stuhl oder auf den Boden. Achten Sie darauf, dass Ihr Kopf und Ihr Rücken gerade sind, aber nicht verkrampft.
2. Versuchen Sie, Ihre Gedanken zu sortieren und die der Vergangenheit und Zukunft beiseite zu schieben. Bleiben Sie bei den Gedanken an die Gegenwart.
3. Richten Sie Ihre Aufmerksamkeit auf Ihren Atem. Achten Sie darauf, sich auf das Gefühl und die Empfindung der Luft zu konzentrieren, die sich beim Ein- und Ausatmen durch Ihren Körper bewegt. Spüren Sie, wie sich Ihr Bauch hebt und senkt. Spüren Sie, wie die Luft durch die Nasenlöcher ein- und durch den Mund wieder austritt. Achten Sie auf die Unterschiede in jedem Atemzug.
4. Beobachte jeden Gedanken, der kommt und geht. Tun Sie so, als ob Sie die Wolken beobachten, und lassen Sie sie an sich vorbeiziehen, während Sie jeden einzelnen beobachten. Egal, ob Ihr Gedanke eine Sorge, Furcht, Angst oder Hoffnung ist - wenn diese Gedanken

auftauchen, ignorieren Sie sie nicht und versuchen Sie nicht, sie zu unterdrücken. Nehmen Sie sie einfach zur Kenntnis, bleiben Sie ruhig und verankern Sie sich mit Ihrem Atem.

5. Vielleicht ertappen Sie sich dabei, wie Sie sich von Ihren Gedanken mitreißen lassen. Wenn das passiert, beobachten Sie, wohin Ihre Gedanken abschweifen, und kehren Sie, ohne zu urteilen, einfach zu Ihrer Atmung zurück. Denken Sie daran, dass dies bei Anfängern häufig vorkommt; versuchen Sie, nicht zu streng mit sich selbst zu sein, wenn dies geschieht. Benutzen Sie immer wieder Ihre Atmung als Anker.
6. Wenn wir uns dem Ende der 10-minütigen Sitzung nähern, bleiben Sie ein oder zwei Minuten sitzen und machen Sie sich bewusst, wo Sie sich körperlich befinden. Stehen Sie langsam auf.

Verbesserung der körperlichen Gesundheit durch Änderungen des Lebensstils

Änderungen des Lebensstils können scheinbar einfach sein, aber sie sind tatsächlich sehr mächtige Werkzeuge, wenn es um die

Behandlung von Depressionen und Angstzuständen geht. Bei manchen Menschen reicht eine Änderung des Lebensstils aus, um sich von Depressionen und Angstzuständen zu erholen. Falls eine Person auch eine andere Behandlung benötigt, kann eine Änderung des Lebensstils dazu beitragen, Depressionen noch schneller zu heilen und zu verhindern, dass sie erneut auftreten. Hier sind ein paar Änderungen, die man ausprobieren kann:

- **Bewegung:** Forscher haben herausgefunden, dass regelmäßiger Sport bei der Behandlung von Depressionen und Angstzuständen genauso wirksam sein kann wie Medikamente. Sport steigert die "Wohlfühl"-Chemikalien im Gehirn, wie Serotonin und Endorphine. Diese Stoffe regen auch das Wachstum neuer Gehirnzellen und -verbindungen an, ähnlich wie bei Antidepressiva. Das Beste an der Bewegung ist, dass man sie nicht intensiv betreiben muss, um davon zu profitieren. Schon ein einfacher 30-minütiger Spaziergang kann einen großen Unterschied in der Gehirnaktivität einer Person bewirken. Die besten Ergebnisse erzielt man, wenn man sich jeden Tag oder an den meisten Tagen 30 bis 60 Minuten lang sportlich betätigt.
- **Soziale Unterstützung:** Wie ich bereits erwähnt habe, verringert ein starkes soziales Netz die Isolation, die ein großer Risikofaktor für Depressionen und Angstzustände ist. Bemühen Sie sich um regelmäßigen Kontakt mit

Familie und Freunden (idealerweise täglich) und erwägen Sie die Teilnahme an einer Selbsthilfegruppe oder einem Kurs. Sie können sich auch für eine ehrenamtliche Tätigkeit entscheiden, bei der Sie die soziale Unterstützung erhalten, die Sie brauchen, und gleichzeitig anderen helfen können.

- **Ernährung: Die** Fähigkeit, sich richtig zu ernähren, ist für die geistige und körperliche Gesundheit eines jeden Menschen von entscheidender Bedeutung. Wenn Sie über den Tag verteilt kleine, ausgewogene Mahlzeiten zu sich nehmen, können Sie Ihre Stimmungsschwankungen minimieren und Ihr Energieniveau aufrechterhalten. Auch wenn Sie sich nach zuckerhaltigen Lebensmitteln sehnen, weil sie Ihnen einen schnellen Energieschub geben, sind komplexe Kohlenhydrate viel nahrhafter. Stattdessen können komplexe Kohlenhydrate Ihnen einen Energieschub geben, ohne dass es am Ende zu einem Absturz kommt.
- **Schlaf:** Der Schlafzyklus eines Menschen hat starke Auswirkungen auf seine Stimmung. Wenn eine Person nicht genug Schlaf bekommt, können sich die Symptome von Depressionen oder Angstzuständen verschlimmern. Schlafmangel verursacht andere negative Symptome wie Traurigkeit, Müdigkeit, Launenhaftigkeit und Reizbarkeit. Nur wenige Menschen können mit weniger

als sieben Stunden Schlaf pro Nacht gut arbeiten. Ein gesunder Erwachsener sollte 7 bis 9 Stunden Schlaf pro Nacht anstreben.

- **Stressabbau:** Wenn eine Person unter viel Stress leidet, verstärkt dies ihre Depressionen oder Ängste und erhöht ihr Risiko, ernstere Depressionen oder Angststörungen zu entwickeln. Versuchen Sie, Änderungen in Ihrem Leben vorzunehmen, die Ihnen helfen, Stress zu reduzieren oder zu bewältigen. Finden Sie heraus, welche Aspekte Ihres Lebens den meisten Stress verursachen, z. B. ungesunde Beziehungen oder Arbeitsüberlastung, und suchen Sie nach Möglichkeiten, deren Auswirkungen und den damit verbundenen Stress zu minimieren.

Wie man Prokrastination vermeidet

Da Prokrastination vor allem aus den wenig hilfreichen Denkstilen einer Person besteht, ist die CBT eine großartige Technik, um dagegen anzugehen, denn sie dreht sich um die Kontrolle der eigenen Gedanken. Der erste Schritt zur Anwendung der CBT zur Bewältigung der Prokrastination besteht darin, sich einfach bewusster zu machen, was man denkt. In unserer schnelllebigen Gesellschaft, die aus Tausenden von Entscheidungen pro Tag besteht, gehen viele Menschen auf Autopilot durch ihr tägliches Leben, um die Zahl der

Entscheidungen, die sie treffen müssen, zu minimieren. Sie tun dies, um ihre Energie zu bewahren, denn jeden Tag so viele bewusste Entscheidungen zu treffen, ist anstrengend. Wenn Sie zum ersten Mal CBT praktizieren, bitte ich Sie nur darum, Ihren Gedanken Aufmerksamkeit zu schenken. Suchen Sie sich Momente des Friedens und der Ruhe und achten Sie einfach darauf, was in Ihrem Kopf vor sich geht. Lassen Sie sich auf den gegenwärtigen Moment ein, oder denken Sie an die Hunderte von Dingen, die Sie diese Woche erledigen müssen?

Sobald Sie dies ein wenig geübt haben, werden wir uns mit nicht hilfreichen Denkmustern und -stilen befassen. Menschen, die prokrastinieren, haben oft zahlreiche nicht hilfreiche Denkmuster übernommen, die ihnen das Gefühl geben, dass bestimmte Aufgaben extrem entmutigend sind. Wenn Sie Ihre neu gewonnene Achtsamkeit mit nicht hilfreichen Denkstilen kombinieren, werden Sie bald in der Lage sein zu erkennen, wann Sie diese nicht hilfreichen Denkstile anwenden.

Dankbarkeit üben

Eine wichtige Methode zur Überwindung von Depressionen und/oder Angstzuständen besteht darin, häufig Dankbarkeit zu üben. Wenn Sie sich in einem Moment von Stress, Angst oder Depression befinden, nehmen Sie sich etwas Zeit, um über all die Dinge in Ihrem Leben nachzudenken, die Sie schätzen. Dazu gehören all die materiellen Dinge, die Sie besitzen, wie Ihr Haus, Ihr Computer, den Sie ständig benutzen, oder auch nur Ihre Lieblingskaffeesorte, die Sie zu Hause haben. Zum Üben von Dankbarkeit gehört auch, dass Sie sich für Ihre eigenen positiven Eigenschaften bedanken. Seien Sie zum Beispiel dankbar für Ihre Stärke, Ihre Intelligenz und alle anderen guten Eigenschaften, von denen Sie wissen, dass Sie sie haben. Diese Methode ist sehr einfach und gibt den Menschen eine bessere Perspektive auf ihr Leben. Oft sind die Menschen im Moment der Not gefangen und können nicht einen Schritt zurücktreten, um das Gesamtbild zu sehen. Wenn man sich für einen Moment aus der Notlage löst und an all die Dinge denkt, für die man dankbar ist, macht das einen großen Unterschied bei der Änderung der Denkweise. Denken Sie daran, auch im dunkelsten Moment gut zu sich selbst zu sein.

Kapitel 7: Wie Sie Ihre Wut in den Griff bekommen

In unserem letzten Kapitel werden wir über Wut sprechen. Wut ist ein sehr kompliziertes Gefühl, und sich näher damit zu befassen ist äußerst hilfreich, wenn es darum geht, die eigenen Gefühle zu verstehen, denn das spielt eine große Rolle, wenn es darum geht, die eigenen Gedanken und Gefühle zu verstehen.

Wut als Manifestation anderer Emotionen

Wut ist eine Emotion, von der man sagt, dass sie eine Manifestation vieler anderer Arten von Emotionen ist. Das bedeutet, dass eine Person, die Wut empfindet, in Wirklichkeit etwas anderes oder eine Kombination aus anderen Emotionen empfindet. Diese Denkschule besagt, dass Wut selbst keine echte Emotion ist. Der Grund dafür ist, dass Wut eine Art Treibstoff ist, der einem hilft, Dinge zu erledigen oder Maßnahmen zu ergreifen, um eine Situation zu verbessern, während Traurigkeit oder Enttäuschung Emotionen sind, die lähmend sein können und dazu führen, dass man nichts anderes tun möchte, als im Bett zu liegen und zu weinen. Wenn wir uns so fühlen, empfinden wir manchmal Wut anstelle von

Traurigkeit, weil wir dann mit Aggression und Energie an die Sache herangehen, die uns so fühlen lässt. Wenn Sie Wut empfinden, wäre dies einer der Momente, in denen Sie tiefer und tiefer schauen sollten, um herauszufinden, was Sie wirklich fühlen. Im Folgenden werden wir uns die anderen Emotionen ansehen, die sich als Wut manifestieren können.

Ein weiterer Grund dafür, dass Wut oft eine Manifestation anderer Emotionen ist, besteht darin, dass die Menschen sie oft benutzen, um die Verletzlichkeit zu verbergen, die mit anderen Emotionen wie Traurigkeit oder Angst einhergeht. Wenn eine Person wütend ist oder sich wütend verhält, erscheint sie stark oder einschüchternd, und die meisten Menschen würden dies dem Erscheinen als "schwach" oder verletzlich vorziehen. Manchmal werden intensive Gefühle jeglicher Art schnell in Gefühle der Wut umgewandelt, um die echten Gefühle zu verbergen oder zu verschleiern. Dies kann so schnell und automatisch geschehen, dass die Person selbst es nicht einmal bemerkt. Es ist oft nicht so einfach, einfach in sich hineinzuschauen, um zu sehen, welche Emotion man fühlt, sondern sich selbst herauszufordern, tiefer zu schauen und verletzlich zu sein.

Wut wird als eine der ursprünglichsten menschlichen Emotionen angesehen, da sie auf die Anfänge der Menschheit zurückgeht. Wut ist in unserer Gefühlspalette vorhanden, um uns vor wahrgenommenen Bedrohungen zu schützen. Dies geht auf die Zeit zurück, als die Menschen Jäger waren und ihre Familien und ihr Land in Zeiten des Krieges und anderer Stämme schützen mussten. Wut steht in engem Zusammenhang mit der Kampf- oder Fluchtreaktion, was uns erklären kann, warum wir das Bedürfnis haben, sofort zu handeln, wenn wir intensive Wut empfinden. Der "Kampf" im Rahmen der Kampf- oder Fluchtreaktion muss nicht unbedingt eine körperliche Auseinandersetzung beinhalten, sondern kann auch einen Kampf mit Worten beinhalten. Zu wissen, dass die Wut dazu da ist, uns zu schützen, kann uns helfen, mit ihr umzugehen, da wir innehalten und erkennen können, dass wir nicht reagieren müssen, da das Überleben nicht bedroht ist, wie es im Jahr 30000 vor Christus der Fall gewesen wäre.

Wut als Manifestation von Traurigkeit

Wie ich bereits erwähnt habe, ist Wut oft eine Manifestation von Traurigkeit. Diese gefühlte Wut hilft Ihnen, die Situation frontal anzugehen, anstatt sich niedergeschlagen und unbeweglich zu fühlen. Ein Beispiel dafür ist, wenn Sie Ihren Partner beim

Fremdgehen erwischen. Im ersten Moment empfinden Sie wahrscheinlich intensive Wut. Diese Wut erlaubt es Ihnen, zum Haus der Person zu eilen, mit der sie fremdgeht, und sie zur Rede zu stellen, indem Sie sie anschreien und sie mit allen möglichen Namen beschimpfen. Was Sie wahrscheinlich wirklich fühlen, ist eine Kombination aus intensiver Traurigkeit über den einen und Verrat. Wenn Sie nach dieser Konfrontation wieder zu Hause sind und ein paar Minuten mit sich selbst zusammensitzen, wird die Traurigkeit einsetzen und Sie werden die nächsten Tage zu Hause bleiben und Ihre wirklichen Gefühle der Traurigkeit fühlen, unfähig, auch nur mit dem Gedanken zu spielen, jemanden zu konfrontieren.

Wut als Ausdruck von Enttäuschung

Ein anderes Gefühl, das sich manchmal als Wut tarnt, ist eine Enttäuschung. Stellen Sie sich zum Beispiel vor, Sie hatten ein Vorsprechen für einen Film, auf das Sie wirklich gehofft und auf das Sie sich wochenlang vorbereitet haben. Wenn Sie später herausfinden, dass Sie die Rolle oder überhaupt eine Rolle in dem Film nicht bekommen haben, ist die Emotion, die Sie am stärksten empfinden, Enttäuschung. Am Anfang werden Sie jedoch vielleicht Wut empfinden. Vielleicht sind Sie wütend auf die Leute, die das Vorsprechen veranstaltet haben, auf die Leute, die eine Rolle in dem Film bekommen haben, und auf Ihren

Agenten, weil er Sie zum Vorsprechen geschickt hat. Diese Wut kann etwa einen Tag lang anhalten, aber sobald sie sich verflüchtigt, bleiben die eigentlichen Gefühle der Enttäuschung zurück.

Wut als Ausdruck des Bedauerns

Bedauern ist ein weiteres Gefühl, das sich als Wut äußern kann. Wenn wir Bedauern empfinden, können wir Wut auf uns selbst empfinden. In diesem Fall machen wir uns vielleicht selbst fertig, indem wir uns sagen, dass wir die falsche Entscheidung getroffen haben, dass wir es hätten wissen müssen oder dass wir dumm sind, weil wir dachten, dass wir eine gute Entscheidung getroffen haben. Wenn wir diese Wut beiseite schieben und nach innen schauen, sehen wir vielleicht, dass wir die Situation in Wirklichkeit bedauern. Bedauern ist oft mit Traurigkeit oder Enttäuschung verbunden.

Wut als Ausdruck von Frustration

Frustration ist auch eine Emotion, die sich manchmal zunächst als Wut äußern kann. Frustration ist eine recht allgemeine Beschreibung für eine Emotion, da sie durch so viele verschiedene Dinge ausgelöst werden kann und schließlich zu Hassgefühlen oder ähnlichem führen kann. Wenn Sie jedoch erkennen, dass Ihr Ärger stattdessen auf Frustration zurückzuführen ist, können Sie vermeiden, in Wut auszubrechen und stattdessen die Probleme angehen, die Ihre Frustration verursachen.

Wut als Manifestation von Angst

Wahrscheinlich haben Sie selbst schon einmal erlebt oder gespürt, wie schnell Angst in Wut umschlagen kann. Wenn Sie zum Beispiel von jemandem erschreckt werden, der einen Raum betritt, in dem Sie in Ruhe arbeiten, empfinden Sie vielleicht zunächst Angst und kurz darauf Wut auf diese Person, weil sie Sie erschreckt hat. Wenn Sie innehalten und darüber nachdenken würden, würden Sie erkennen, dass die Wut auf die Person ungerechtfertigt ist, da sie Ihnen nicht absichtlich Schaden zugefügt hat und dass das Erschrecken zwar beängstigend ist, aber keinen wirklichen Schaden für Sie darstellt. Dieses Beispiel ist recht häufig und auch recht einfach. Dies kann auch bei bedrohlicheren Situationen passieren, die Ihnen Angst machen, z. B. wenn Sie etwas verlieren oder denken, dass Sie Ihren Partner an einem überfüllten Ort verloren haben.

Dies ist ein sehr häufiges Beispiel dafür, dass Wut ein Oberflächengefühl sein kann, aber nicht die Wurzel des Gefühls ist. Wenn Sie sich fragen: "Warum hat mich das wütend gemacht?", stellen Sie vielleicht fest, dass Sie tatsächlich Angst haben und nicht wütend sind.

Das große Übel der unterdrückten Gefühle

Zusätzlich zu den oben beschriebenen Emotionen gibt es noch andere, die sich zunächst als Angst äußern können. Dazu gehören Verrat, Demütigung, Ablehnung und so weiter. Die Vorstellung eines Eisbergs hilft, dieses Konzept besser zu veranschaulichen. Die Spitze des Eisbergs ist die Wut. Dies ist der einzige Teil des Eisbergs, den man sehen kann. Unter der Wasseroberfläche befinden sich jedoch all die anderen Emotionen wie Angst, Schuldgefühle, Bedauern und so weiter. Der Teil, den wir der Welt zeigen, ist Wut, aber unter der Oberfläche gibt es in Wirklichkeit viele andere, genauere Möglichkeiten, die Emotion zu beschreiben.

Wenn Sie Wut als Ausdruck anderer Emotionen empfinden, können Sie nach innen blicken und versuchen, die eigentliche Emotion zu erreichen, die dahinter steckt. Auf diese Weise können Sie sich mit den Gefühlen der Traurigkeit oder des

Bedauerns auseinandersetzen und sie direkt angehen. Dadurch wird die Zeit, in der Sie sich negativ fühlen, verkürzt, da die Wut und das Bedauern länger anhalten, als wenn Sie das Bedauern einfach zulassen und sich sofort damit auseinandersetzen.

Das Problem mit dem Gefühl der Wut anstelle der Gefühle, die Sie tatsächlich empfinden, ist, dass Wut oft zu Ausbrüchen führt oder dazu, dass Sie Dinge sagen, die Sie gar nicht sagen wollen. Wenn Sie Wut empfinden, beschimpfen Sie vielleicht andere Menschen, sagen Dinge wie "Ich hasse dich" oder "Komm nie wieder her", nur um später festzustellen, dass Sie aus Wut gehandelt haben, obwohl Sie das eigentlich gar nicht tun oder sagen wollten.

Wenn Sie Ihre Gefühle unterdrücken, kann dies andere negative Folgen haben, z. B. negative Auswirkungen auf die Gesundheit. Gefühle intensiver Wut wirken sich tatsächlich auf den Blutdruck aus, indem sie ihn erhöhen, die Herzfrequenz steigern und Adrenalin, das Kampf- oder Fluchthormon, freisetzen. Dies führt dazu, dass der Körper Veränderungen vornimmt, um sich auf den Kampf oder die Flucht vorzubereiten, z. B. indem er die Verdauung stoppt, die Pupillen weitet und das Blut in die Gliedmaßen leitet. Aufgrund dieser Reaktion fällt es Ihnen schwer, in Zeiten intensiver Wut zu denken - der gesamte Blutfluss fließt in Ihre Arme und Beine statt in Ihr Gehirn. Wenn

Sie häufig wütend sind oder immer wieder heftige Wutanfälle haben, kann dies zu Verdauungsstörungen führen, da sich das Verdauungssystem als Reaktion auf diesen Adrenalinstoß immer wieder ein- und ausschaltet.

Selbstbeherrschung des Zorns

Indem Sie NVC anwenden, können Sie die Gefühle des Ärgers vermeiden, die oft bei einem Streit oder einer Konfrontation auftreten. Durch die Anwendung von NVC sind Sie in der Lage, sofort zum Kern der Sache zu kommen, anstatt vor Wut zu kochen, weil Sie und die andere Person versuchen, sich gegenseitig zu beleidigen. Es wird jedoch Zeiten geben, in denen Wut aufsteigt, unabhängig davon, wie Sie mit einer Situation umgegangen sind. In solchen Fällen wird Ihnen dieses Kapitel helfen, damit Sie sich nicht in einer Weise verhalten, die Sie später vielleicht bereuen.

Die wirksamste Methode zur Wutkontrolle ist die Entspannung. Wenn Sie das Gefühl haben, zu oft wütend zu werden, und der Grad der Wut nicht so sehr das Problem ist, sondern die Häufigkeit, mit der sie auftritt, kann es sich als sehr nützlich erweisen, Entspannungstechniken anzuwenden. Eine schnelle und einfache Entspannungstechnik besteht darin, sich selbst daran zu erinnern, sich zu entspannen. Allein die Erinnerung daran, dass dies das Ziel ist, hilft Ihnen, innezuhalten und an die Techniken zu denken, die in Ihrem Hinterkopf gespeichert sind, so dass Sie Zeit haben, sie abzurufen. Das hilft Ihnen nicht nur, sich zu entspannen, sondern lenkt Sie auch kurzzeitig von Ihrem Ärger ab. Wenn Sie sich dann daran erinnern, haben Sie vielleicht nicht das Gefühl, dass er so stark ist, wie Sie zunächst dachten.

Wenn die Wut den Körper beherrscht, kann es schwierig sein, klar und vernünftig zu denken, und wir handeln oft unüberlegt. Um in solchen Momenten Selbstbeherrschung zu erlangen, gibt es verschiedene Techniken, die Sie ausprobieren können, um sicherzustellen, dass Sie nicht vor Wut ausrasten, wenn Sie wirklich traurig sind.

Techniken der Wutbewältigung

Zum Abschluss dieses Kapitels werde ich Ihnen einige Techniken zur Wutbewältigung vorstellen, die Ihnen helfen werden, wenn Sie sich wütend fühlen und am liebsten in Wut ausbrechen würden. Wenn Sie eine Person, die auf Ihre Gefühle der Wut mit Aggression, verbale Ausbrüche, oder sogar körperliche Gewalt zu handeln neigt, werden diese Techniken erweisen sich als sehr nützlich in Ihrer Reise zur Behandlung Ihrer Angst oder Depression Störung.

1. Zählen

Wenn Sie die Wut in sich spüren, die Ihr Blut zum Kochen bringt, zählen Sie bis zehn oder fünfzig, je nachdem, wie groß Ihre Wut ist. Wenn Sie extrem wütend sind, zählen Sie bis 100. Diese Technik ist hilfreich, um Ihnen Zeit zu geben, sich körperlich zu beruhigen. Ihr Herzschlag wird sich auf ein normales Maß verlangsamen und Ihre Adrenalinausschüttung wird ebenfalls nachlassen. So können Sie einen Schritt zurücktreten und klarer denken.

2. Atmung

Wenn Sie wütend sind, wird Ihre Atmung flach und kurz. Wenn Sie wütend sind, konzentrieren Sie sich auf Ihre Atmung, indem Sie sie verlangsamen und lange und tiefe Atemzüge machen. Atmen Sie durch die Nase ein und durch den Mund aus. Indem Sie sich auf Ihre Atmung konzentrieren, beruhigen Sie sich und geben Ihrem Gehirn den Sauerstoff, den es braucht, um klar zu denken.

3. Mantra

Ein Mantra zu haben, mag ein bisschen wie eine Luftnummer wirken, wenn man normalerweise nicht so etwas benutzt, aber es erweist sich als sehr hilfreich in Zeiten intensiver Emotionen. Ein Mantra ist ein Wort oder ein Satz, den du wiederholst und der dir helfen soll, dich auf die Meditation zu konzentrieren. Im täglichen Leben hilft es jedoch, das Bewusstsein in den Moment zurückzubringen, genau wie bei der Meditation. Ihr Mantra kann alles Mögliche sein, z. B. "Entspannen Sie sich", "Sie sind in Sicherheit" oder irgendetwas, das Ihnen hilft, sich in diesem Moment zu beruhigen. Entscheiden Sie sich für Ihr Mantra in einem ruhigen Moment, damit Sie es im Hinterkopf haben, wenn Sie es in einem Moment des Ärgers brauchen.

4. Dehnen

Dehnen ist eine gute Übung für Momente intensiver Wut, denn es hilft Ihnen, wieder auf den Boden der Tatsachen zurückzukommen. Es verbindet Sie wieder mit Ihrem Körper und Ihren Muskeln, was Ihnen hilft, sich auf den Moment zu konzentrieren und die Durchblutung zu fördern. Alle Dehnungen sind gut, Nackenrollen, Beinstrecken oder Schulterrollen sind großartig.

5. Visualisierung

Dies ist ein großartiges Hilfsmittel, wenn es schwierig ist, Ihre Wut zu kontrollieren. Gehen Sie an einen ruhigen Ort und machen Sie es sich bequem. Schließen Sie die Augen und stellen Sie sich Ihre ideale Entspannungsszene vor. Stellen Sie sich vor, Sie wären dort. Stellen Sie sich die Sehenswürdigkeiten, Gerüche, Geräusche und Gefühle vor, die Sie erleben würden. Auf diese Weise gaukeln Sie Ihrem Gehirn vor, dass Sie sich in dieser Szene befinden, was Ihnen ein Gefühl der Entspannung, der Freude und des Wohlbefindens vermitteln wird.

6. Stoppen

Wenn Sie einen Wutausbruch haben oder alles herausschreien, was Sie nicht gesagt hätten, wenn Sie nicht so wütend gewesen wären, zwingen Sie sich, den Mund zu halten. Kleben Sie Ihre Lippen zusammen und erlauben Sie sich nicht, sie für ein paar Minuten zu öffnen. Diese Zeit, in der Sie sich nicht erlauben können, eine Reihe von Worten auszuspucken, die Sie nicht so meinen, gibt Ihnen etwas Zeit zum Nachdenken, bevor Sie entscheiden, was Sie sagen oder tun wollen.

7. Ausübung von

Sport tut Ihrem Körper gut, vor allem in Zeiten großer Wut. Das positive Gefühl des "Runner's High", das Sie nach dem Sport haben, wird Ihnen helfen, einen Teil Ihrer Wut zu vertreiben.

Wenn Sie Ihre Wut im Fitnessstudio abreagieren, hilft Ihnen das auch, Ihre Wut auf gesunde Weise abzubauen.

8. Schreiben

Wahrscheinlich gibt es viele Dinge, die Sie sagen wollen, von denen Sie aber wissen, dass sie mehr schaden als nützen, vor allem, wenn Sie sie in einem Moment der Wut sagen. Schreiben Sie diese Dinge auf. Auf diese Weise bringen Sie sich und Ihre Wut zum Ausdruck, verletzen aber niemanden oder Ihre Beziehungen. Dies hilft Ihnen, Ihre Emotionen zu verarbeiten, und kann Ihnen helfen, sie aus der Ferne zu betrachten, um zu entscheiden, wie Sie am besten vorgehen.

9. Tirade

Wenn Sie sich bei jemandem aussprechen, der nicht in die Situation verwickelt ist, können Sie Ihre Gefühle zum Ausdruck bringen, ohne jemanden zu verletzen, der in die Situation verwickelt ist, und ohne zu riskieren, dass Ihre Beziehung Schaden nimmt. Ein gesundes Schimpfen mit einer dritten Person ist hilfreich, um sich auszudrücken und die Situation sowie Ihre Gefühle zu verarbeiten.

10. Lachend

Lachen kann tatsächlich dazu beitragen, Ihre Wut zu zerstreuen. Lachen ist eine starke Medizin. Wenn Sie also lachen, wenn Sie intensive Wutgefühle verspüren, kann Ihnen das helfen, sich ein wenig zu entspannen und einen Schritt zurückzutreten. Dies können Sie tun, indem Sie sich eine lustige Sendung ansehen, mit einem Freund sprechen, der Sie zum Lachen bringt, oder im Internet nach lustigen Inhalten suchen.

Schlussfolgerung

Ich möchte, dass Sie sich selbst auf die Schulter klopfen, weil Sie die Initiative ergriffen haben, mehr über die Behandlung psychischer Störungen zu erfahren. Das ist keine leichte Aufgabe, denn wenn eine Person unter den Symptomen allgemeiner Störungen wie Angst oder Depression leidet, ist es für sie schwer, klar und strategisch zu denken. Die Tatsache, dass Sie die Motivation gefunden haben, dieses Buch nicht nur zu kaufen und zu lesen, sondern es auch zu Ende zu lesen, ist eine große Leistung. Sie haben sich eingehend mit der kognitiven Verhaltenstherapie befasst und erfahren, wie diese zur Behandlung von Ängsten und Depressionen eingesetzt werden kann. Dies ist eine der wichtigsten Erkenntnisse, da die kognitive Verhaltenstherapie den Menschen die richtigen Werkzeuge an die Hand geben kann, um ihre eigenen negativen Gedanken zu bekämpfen.

Damit all das Wissen, das Sie in diesem Buch gelernt haben, funktioniert, müssen Sie die CBT konsequent anwenden. Die meisten Menschen sehen die Auswirkungen der CBT erst nach 4 bis 5 Wochen, also müssen Sie dranbleiben und nicht aufgeben. Fangen Sie immer langsam an und machen Sie sich mit den Grundlagen vertraut. Beginnen Sie einfach damit, Ihren Gedanken mehr Aufmerksamkeit zu schenken, und Sie werden langsam in der Lage sein, die Muster Ihres eigenen negativen Denkens zu erkennen. In dem Moment, in dem Sie dies erkennen, können Sie beginnen, Ihr eigenes negatives Denken zu unterbrechen. Der schwierigste Teil des gesamten CBT-Prozesses besteht darin, dass Sie Ihren Verstand vom Autopiloten auf die Aufmerksamkeit für Ihre Gedanken umstellen. Das ist anstrengend, und deshalb haben manche Menschen keinen Erfolg mit CBT, wenn sie nicht üben. Der Verstand und das Gehirn sind jedoch eine sehr anpassungsfähige Funktion des Körpers. Er ist buchstäblich dafür gemacht, sich an das anzupassen, was für Ihren Körper am gesündesten und besten ist. Wenn Sie üben und aktiv auf Ihre Gedanken achten, werden sich Ihre Gewohnheiten allmählich ändern und Sie werden allmählich die Fehler Ihrer Denkweisen erkennen.

Lassen Sie uns einen Blick auf alles werfen, was wir bisher gelernt haben; dies ist wichtig, damit Sie alle Konzepte und Informationen als Ganzes aufnehmen können. Zu Beginn dieses Buches haben wir einfach etwas über die CBT gelernt und wie sie funktioniert. Wir haben die CBT auch mit anderen Therapieformen verglichen, damit Sie sehen können, warum sie sich von den traditionellen Methoden der Gesprächstherapie unterscheidet. Danach haben wir uns eingehend mit Angststörungen und Depressionen befasst und die verschiedenen Arten und Symptome kennen gelernt. Wenn Sie sich nicht sicher waren, ob Sie an einer dieser Störungen leiden, sollten Sie jetzt eine bessere Vorstellung davon haben. Denken Sie jedoch daran, dass nur eine zugelassene Fachkraft eine korrekte Diagnose stellen kann. Wenn Sie den Verdacht haben, an einer dieser Störungen zu leiden, gehen Sie bitte zu einem Arzt, um eine professionelle Diagnose zu erhalten. Danach haben wir etwas über die Vor- und Nachteile der CBT gelernt. In diesem Kapitel sollten Sie eine Vorstellung davon bekommen haben, ob CBT die richtige Behandlungsmethode für Ihren individuellen Fall ist. Auch hier gilt, dass nur eine medizinische Fachkraft Ihre Störung diagnostizieren kann, aber wenn Sie eine schwerere psychische Erkrankung haben, reicht CBT allein vielleicht nicht aus, um Sie richtig zu behandeln. In den nächsten Kapiteln haben Sie erfahren, wie Sie mit CBT Ihre Angst und Depression in den Griff bekommen können. Sie haben die verschiedenen nicht hilfreichen Denkstile kennen gelernt und erfahren, wie Sie Ihren Denkprozess unterbrechen können, wenn Sie diese negativen Verhaltensweisen an den Tag legen. Wir wissen, dass CBT wirksam ist, aber sie ist oft am effektivsten, wenn sie mit anderen Behandlungen kombiniert wird. Wir haben dann gelernt, dass Meditation, Änderungen des Lebensstils, die Minimierung von Aufschieberitis und das Üben von Dankbarkeit ausgezeichnete Methoden sind, die man neben der CBT anwenden kann. Schließlich lernten wir ein Kapitel über den Umgang mit Wut und die verschiedenen Techniken, die dabei helfen, sie zu bewältigen. Wenn Wut nicht im Zaum gehalten und nicht richtig anerkannt wird, kann sie sich zu größeren Problemen ausweiten.

Insgesamt hat dieses Buch jedes Thema im Bereich der CBT und der Störungen, die damit behandelt werden können, abgedeckt. Ich weiß jedoch, dass die richtige Behandlung mit CBT mehr ist als nur das Üben der Techniken und das Lernen darüber. Es ist wichtig, die Wissenschaft und den Hintergrund Ihrer psychischen Störungen zu kennen und zu verstehen, warum die CBT so funktioniert, wie sie funktioniert. Wenn Menschen blindlings Behandlungen ausprobieren, ohne zu verstehen, was dabei passiert, ist die Wahrscheinlichkeit größer, dass sie die Behandlung abbrechen, wenn sie sie innerhalb des festgelegten Zeitrahmens für erfolglos halten. Wenn man jedoch versteht, was genau im Hintergrund geschieht, ist es wahrscheinlicher, dass man bei der Sache bleibt, da man den Prozess versteht. Deshalb ist es so wichtig, sich nicht nur über psychische Störungen wie Angst und Depression zu informieren, sondern auch herauszufinden, welche Probleme Sie selbst haben und welche Behandlungsmethoden für Sie geeignet sind. Wir haben in diesem Buch bereits erwähnt, dass die CBT kein Patentrezept ist. Sie müssen sie auf Ihre eigene Art und Weise anwenden und mit anderen Methoden kombinieren, um die effektivsten Ergebnisse zu erzielen.

Ich möchte Ihnen dafür danken, dass Sie bis zum Ende gelesen und sich über alles informiert haben, was notwendig ist, um eine psychische Störung zu überwinden, mit der Sie möglicherweise zu kämpfen haben. Dies ist kein leichter Weg, aber er wird Ihnen helfen, ein gesundes und glückliches Leben zu führen. Wenn Sie sich also jemals niedergeschlagen fühlen oder mit einer sehr angstauslösenden Situation konfrontiert sind, versuchen Sie, einen Schritt zurückzutreten und sich an die Theorien und Methoden zu erinnern, die Sie in diesem Buch gelernt haben. Denken Sie daran, dass Sie viel besser gerüstet sind, nachdem Sie sich eingehend mit psychischen Störungen und CBT beschäftigt haben. Sie sind nicht mehr dieselbe Person und verfügen über neue und fundierte Kenntnisse, wie Sie schlechte psychische Situationen überwinden können. Behalten Sie dies immer im Hinterkopf. Das in diesem Buch vermittelte Wissen wird Ihnen für immer helfen, Ihren Geist und Körper gesund und glücklich zu erhalten.

Beschreibung

Wussten Sie, dass in der gesamten Weltbevölkerung 450 Millionen Menschen täglich an einer psychischen Störung leiden? Die häufigsten psychischen Störungen, mit denen Menschen tagtäglich zu kämpfen haben, sind Depressionen und Angstzustände. Gehören Sie zu den Menschen, die das Gefühl haben, durch ihre psychischen Störungen ständig belastet zu werden? Haben Sie das Gefühl, dass Sie von Ihrem vollen Potenzial abgehalten werden? Fühlst du dich festgefahren und kämpfst darum, aus dieser Flaute herauszukommen? Wenn Sie sich damit identifizieren können, dann kann dieses Buch Ihnen nicht nur helfen, die kognitive Verhaltenstherapie zur Behandlung Ihrer Störungen zu erlernen, sondern es wird Ihnen auch das richtige Wissen vermitteln, um zu verstehen, was passiert und warum. Millionen von Menschen geben jedes Jahr ihre psychische Behandlung auf, weil sie denken, dass sie nicht wirksam ist oder nicht schnell genug wirkt. Nun, die Behandlung psychischer Erkrankungen ist eine komplizierte Angelegenheit, und es gibt keine Einheitsgröße für alle. Es stimmt zwar, dass die kognitive Verhaltenstherapie nachweislich die wirksamste Behandlung für die meisten psychischen Störungen ist, aber es ist wichtig, dass Sie so viel wie möglich über Ihre eigene psychische Gesundheit lernen und von dort aus Ihre eigenen CBT-Methoden anwenden, um Ihre individuelle

Situation richtig zu behandeln. Dieses Buch wird Ihnen dabei helfen, indem es Sie mit Informationen zu den folgenden Themen versorgt:

- Die Geschichte der kognitiven Verhaltenstherapie
- Die moderne Anwendung von CBT
- Wie CBT funktioniert
- Angststörungen, Ursachen und Symptome
- Depressive Störungen, Ursachen und Symptome
- Die Vor- und Nachteile der CBT als Behandlungsmethode
- Wie Sie mit CBT Ihre Ängste und/oder Depressionen in den Griff bekommen
- Andere Methoden, die ebenfalls zur Bewältigung von Ängsten und/oder Depressionen beitragen
- Wie Sie Ihre Wut bewältigen können

Die CBT ist nachweislich bei bis zu 75 % der Menschen, die sie zur Behandlung einsetzen, wirksam. Die Wirksamkeit steigt sogar auf bis zu 90 %, wenn sie auch mit anderen Methoden kombiniert wird. In diesem Buch erfahren Sie, wie Sie die CBT auf Ihre individuelle psychische Erkrankung anwenden können, und Sie lernen auch andere Methoden kennen, die zur Behandlung psychischer Störungen beitragen. Durch die Kombination von CBT mit anderen Behandlungsmethoden wie

Meditation und Verbesserung des Lebensstils erhöht sich die Wirksamkeit der gesamten Behandlung erheblich.

Die meisten Menschen in unserer heutigen Gesellschaft haben ein falsches Bild von psychischen Störungen. Sie denken, dass jeder, bei dem eine solche Diagnose gestellt wird, Medikamente einnehmen muss, um sie richtig zu behandeln. Obwohl dies in schweren Fällen von psychischen Störungen der Fall ist, können viele psychische Störungen durch CBT und andere Behandlungsformen gut behandelt und verhindert werden. Im Gegensatz zu den meisten Medikamenten für psychische Erkrankungen hat die CBT nur minimale bis gar keine Nebenwirkungen und ist viel nachhaltiger. Bei Medikamenten dauert es mehr als 6 Wochen, bis man die Wirkung spürt, während Menschen angeben, dass sie sich nach 8 bis 15 CBT-Sitzungen schon viel besser fühlen. Dies zeigt, dass die CBT eine Behandlung mit geringem Risiko und hohem Nutzen ist. Wenn Sie also auf der Suche nach einer besseren psychischen Gesundheit sind und lernen möchten, wie Sie Ihre Ängste oder Depressionen richtig und sicher bewältigen können, sind Sie hier genau richtig. Kaufen Sie Cognitive Behavioral Therapy noch heute und beginnen Sie, sich selbst zu heilen.

Printed in May 2023
by Rotomail Italia S.p.A., Vignate (MI) - Italy